Y0-CDQ-823

# 100 LIEUX SACRÉS

Queen Street House
4 Queen Street
Bath, BA1 1HE
Royaume-Uni

Réalisation : InTexte, Toulouse
Traduction de l'allemand : Marion Richaud-Villain



ISBN : 978-1-4454-4609-7

Imprimé en Indonésie
Printed in Indonesia

# 100
# LIEUX
# SACRÉS

Bath • New York • Singapore • Hong Kong • Cologne • Delhi
Melbourne • Amsterdam • Johannesburg • Auckland • Shenzhen

# Sommaire

# Préface

Le mot « saint » est issu du latin *sanctus*, qui signifie « sacré » ou « inviolable » et relève d'un domaine séparé et interdit. Les adjectifs « saint » et « sacré » désignent ce qui est consacré ou qui appartient à une divinité, ils évoquent donc une sphère ou un lieu divins.

Les lieux saints sont soit des sites naturels identifiés et reconnus comme sacrés par les hommes, soit des lieux aménagés par l'homme. Les hommes y célèbrent en général des événements particuliers de l'histoire de leur religion. Si certains sites naturels sont considérés comme sacrés, c'est parce que les dieux s'y sont manifestés ou parce que l'on croit qu'ils y vivent ; c'est par exemple le cas de l'Olympe en Grèce ou du mont Fuji au Japon. Les lieux sacrés peuvent aussi être des lieux où sont conservées les reliques de saints ou de fondateurs d'une religion. Il s'agit des lieux où les saints ou prophètes sont nés ou se sont convertis, où ils ont vécu et œuvré, ou encore où ils sont morts. Il existe enfin des lieux saints que les hommes ont bâtis à la gloire de leurs dieux et où sont célébrés les fêtes et rituels les plus importants de leur religion. En ce sens, les lieux sacrés peuvent être des églises, des temples ou des mosquées, mais aussi des arbres, des forêts, des fleuves, des grottes ou des montagnes. Les montagnes que de nombreux cultes imaginent être la résidence des dieux en raison de leur proximité avec le ciel sont particulièrement vénérées des croyants dans presque toutes les religions du monde.

Des lieux sacrés sont visités dans le monde entier par les fidèles d'une religion donnée car cette visite, ce pèlerinage, a pour but d'assurer le salut personnel, l'harmonie du corps et de l'esprit, mais aussi parce qu'elle fait éventuellement partie des préceptes religieux de la confession concernée. Au fil du temps, certains lieux ont perdu leur signification religieuse pour devenir des musées comme Cluny, Fontenay ou Santa Maria Novella de Florence, qui sont liés aux grands ordres chrétiens des bénédictins, des cisterciens et des dominicains et avaient autrefois une importance considérable dans le monde chrétien. La puissance salutaire de l'Église se concentre partout où des moines, qui, au Moyen Âge, appartenaient à l'élite chrétienne, ont un jour prié pour le salut des vivants et des morts, où ils ont prêché et mené des actions caritatives. Les chrétiens pratiquants visitent ces lieux car ils ont été sources de salut. Les monastères et leurs églises étaient des lieux de force de la foi et de la confiance si puissants que même un monastère en ruines parvient encore à stimuler l'imagination de ses visiteurs et à évoquer des rituels sacrés d'un temps révolu.

Cet ouvrage présente 100 lieux sacrés parmi les plus beaux et les plus spectaculaires de toutes les religions du monde, datant de toutes les époques et situés sur tous les continents. On y explique ce qui fait la sacralité de chaque lieu et quels dieux, quelles puissances divines ou quels prophètes y sont, ou y furent, vénérés.

Les États-Unis et le Canada se distinguent par une assimilation en général réussie des contrastes traditionnels. Les religions amérindiennes, qui puisent leurs racines dans les grands espaces, se sont à présent réconciliées avec les croyances de « l'Ancien Monde » pour qui le continent américain fut une terre d'asile accueillant les victimes des persécutions. Dans leur parcours spirituel, les disciples du New Age témoignent quant à eux d'un respect exemplaire pour les traditions des Indiens.

# AMÉRIQUE DU NORD

ÉTATS-UNIS, OREGON

# Crater Lake

CRATER LAKE EST UN LAC DE MONTAGNE TRÈS PROFOND SITUÉ AU CŒUR D'UN PAYSAGE SPECTACULAIRE DE LA CHAÎNE DES CASCADES, DANS L'OREGON AUX ÉTATS-UNIS. C'EST UN LIEU SACRÉ POUR LES INDIENS KLAMATH.

D'un point de vue géologique, ce lac est apparu vers 4680 avant notre ère lors de l'éruption de l'ancien mont Mazama. On estime que cette éruption fut 42 fois plus forte que celle du mont Saint-Helens en 1980. Elle détruisit le sommet du mont Mazama, dont l'altitude passa de 3000 à 2200 m environ. Le sommet s'effondra dans la chambre magmatique du volcan et le lac se forma dans la caldeira.

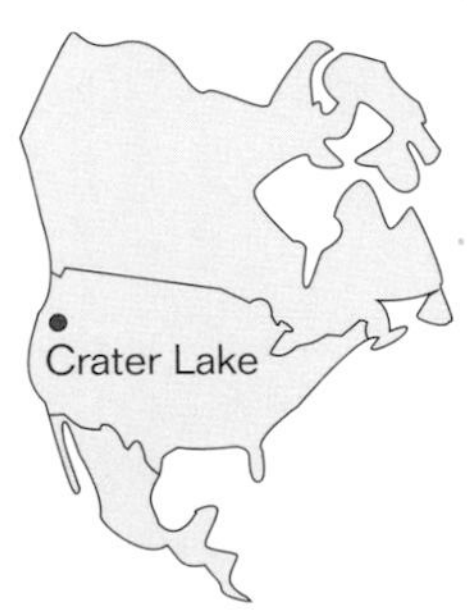


**La guerre entre le monde d'en haut et le monde d'en bas.** D'aussi loin qu'ils s'en souviennent, les Indiens klamath vénèrent Crater Lake. Les Klamath vivent dans les montagnes isolées du sud de l'Oregon et du nord de la Californie. Leur dialecte appartient à la famille des langues pénutiennes qui est représentée sur toute la côte pacifique. Ils se désignent eux-mêmes sous le nom de « *maqlaqs* ». Les ornements corporels comme les tatouages et les parures en coquillages sont de coutume chez les membres de cette tribu. Les Klamath vivaient traditionnellement dans des huttes en terre qui pouvaient être enterrées jusqu'à plus d'un mètre dans le sol. La catastrophe naturelle qui a eu lieu il y a plusieurs milliers d'années constitue un élément important de la mythologie populaire de cette tribu. Selon la légende, la tribu possédait deux chefs : Llao, du monde d'en bas, et

**Page ci-contre :** cette prise de vue aérienne offre un panorama remarquable sur le lac du cratère réputé pour sa profondeur.

**Ci-contre :** de nombreuses cascades plongent dans le lac, leur bruissement anime et accompagne le grand silence ambiant.

Skell, du monde d'en haut. La guerre entre les deux fit rage jusqu'à ce que le monde de Llao, le mont Mazama, soit détruit. Depuis, Crater Lake est devenu pour les Klamath un sanctuaire d'une grande spiritualité enveloppé d'un épais voile de mystère.

Pour eux, il est la demeure des démons, des monstres et des esprits maléfiques. Ces Indiens ne se rendent sur ses berges que pour effectuer, en transe, des voyages astraux et accomplir des rituels particuliers. Dans les années 1920, l'anthropologue américain Leslie Spier écrivit qu'un homme qui avait perdu son fils était allé nager dans le lac et serait, avant le soir, devenu un chaman.

Un autre rituel qui s'effectue sur ce site consiste à escalader la paroi abrupte de la caldeira pour descendre jusqu'aux rives du lac. D'après la croyance, ceux qui ne chutent pas possèdent des capacités spirituelles exceptionnelles. Ce type de rituel est effectué en groupe ou dans le cadre de rites d'initiation. Les membres de la tribu des Klamaths continuent de venir ici pour accomplir leurs rituels, mais Crater Lake attire aussi les adeptes du New Age, qui visitent ce lieu sacré.

### EN BREF

Avec 600 m de profondeur, Crater Lake est le lac le plus profond des États-Unis et le 7e lac le plus profond du monde ; il est le lac au-dessus du niveau de la mer le plus profond du monde

L'éruption volcanique a créé deux îles : Wizard Island et Phantom Ship Island

**1853**
Découverte de Crater Lake par les premiers Blancs

**1954**
Dissolution de la tribu des Klamath

**1991**
Reconnaissance officielle de la tribu des Klamath comme une tribu indienne

**Ci-contre :** le lac sous un voile de brume – un décor propice aux expériences cosmiques et recherché par les adeptes du New Age.

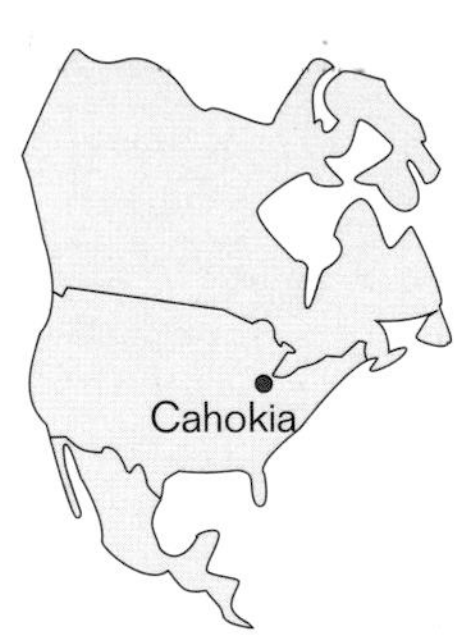


ÉTATS-UNIS, ILLINOIS

# Cahokia

**Ci-dessus :** autrefois habitée, Monks Mound était la plus grande pyramide de terre de Cahokia.

VERS 1000 DE NOTRE ÈRE, LES PEUPLES D'AMÉRIQUE DU NORD SE MIRENT À TISSER DES LIENS COMMERCIAUX. CAHOKIA, SEULE CITÉ PRÉHISTORIQUE DU CONTINENT, DEVINT LE CENTRE DE LA CIVILISATION DITE MISSISSIPPIENNE.

**EN BREF**

Peuplée pendant la période mississippienne entre 800 et 1400 ap. J.-C. Environ 120 monticules. Apogée de 1050 à 1150, avec environ 20 000 habitants. Monks Mound est la plus grande pyramide de terre d'Amérique du Nord.
**Superficie :** 5 ha
**Hauteur :** 30 m
**1982**
Inscription au patrimoine mondial de l'Unesco

Cahokia était jadis l'unique cité du continent américain. Elle se trouvait à environ 5 km des rives du Mississippi, juste à côté de l'actuelle ville de Saint-Louis. Peuplée pendant environ 700 ans, elle fut, de 850 à 1150 ap. J.-C., le centre de la civilisation du Mississippi.

La ville s'étendait sur environ 13 km² et était composée de centaines de pyramides tronquées, de tumulus arrondis et de maisons. Elle était entourée d'une palissade. L'élite religieuse habitait dans la ville, tandis que les paysans, les chasseurs, les bâtisseurs ainsi les commerçants résidaient dans des *wigwams* et des huttes dans les environs.

Le chef religieux et laïc du peuple était le « Grand Soleil ». Il habitait sur Monks Mound, le plus haut monticule pyramidal. Le « Grand Soleil » régnait sur tout le peuple de la civilisation mississippienne, dont les rituels incluaient des sacrifices humains. Le fondement des pratiques religieuses et culturelles de nombreuses tribus indiennes ultérieures fut posé à Cahokia, bien longtemps avant que les colons européens n'arrivent sur le territoire et n'en prennent possession.

La ville de Cahokia et son peuple descendent des tribus de la culture Adena dans l'Ohio qui, vers 1000 av. J.-C., enterraient déjà leurs morts dans des tumulus avec de la nourriture, des outils et des bijoux.

ÉTATS-UNIS, OHIO

# Serpent Mound

SERPENT MOUND, UNE SCULPTURE DE TERRE REPRÉSENTANT LONG SERPENT ENROULÉ, ÉTAIT UN LIEU SACRÉ POUR LES PREMIERS HABITANTS DU CONTINENT NORD-AMÉRICAIN ET REÇOIT AUJOURD'HUI LA VISITE DES ADEPTES DU NEW AGE.

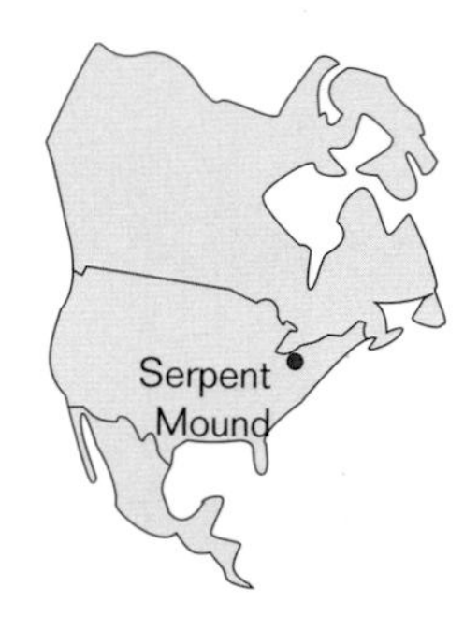


Serpent Mound est une sculpture de terre qui présente la forme d'un serpent ondulant. La gueule grande ouverte, le serpent semble s'apprêter à avaler un œuf. Cette sculpture massive a pu être datée à une période allant du Xe au XIIe siècle ap. J.-C., on suppose donc qu'elle fut réalisée par le peuple de Fort Ancient qui vivait déjà sur les rives du fleuve Ohio et de ses affluents depuis 950 av. J.-C. environ. La fonction précise de Serpent Mound reste mystérieuse. À l'intérieur de l'œuf, on retrouve néanmoins des traces de combustion laissant penser qu'il s'agissait du centre du site rituel, endroit où l'on préparait dans les flammes les offrandes pour les dieux. De nombreux archéologues estiment que le serpent lui-même était une offrande aux dieux car il symbolisait les oscillations et les forces sacrées de la Terre et servait de protection contre les mauvais esprits. On pense que l'on vénérait ici une déesse de la Terre, ou la Terre-Mère.

Dans le mouvement New Age, Serpent Mound est un lieu de méditation et de pèlerinage. Les adeptes vénèrent le serpent comme représentation de la constellation de la Petite Ourse et donc comme un symbole du flux énergétique entre le ciel et la Terre.

### EN BREF

**Longueur :** 366 m
**Largeur :** 6 m
**Hauteur :** 1,5 m
**1995**
Datation du site à 1070 ap. J.-C. (datation au carbone)

**Ci-dessous :** des arbres et des sentiers entourent aujourd'hui le tumulus qui forme le « serpent » ancestral.

ÉTATS-UNIS, COLORADO

# Mesa Verde

À LA FIN DU XIX$^{e}$ SIÈCLE, DEUX COW-BOYS FURENT LES PREMIERS À DÉCOUVRIR LES ÉDIFICES DE MESA VERDE, DANS LE COLORADO : TÉMOIGNAGES D'UNE CIVILISATION INDIENNE OUBLIÉE DONT LES MEMBRES PRIAIENT ICI POUR S'ASSURER UNE BONNE RÉCOLTE, POUR QU'IL PLEUVE ET POUR QUE LE GIBIER SOIT ABONDANT.

En 1888, alors qu'ils recherchaient des bêtes qui s'étaient échappées sur le plateau de Mesa Verde – la « table verte » –, deux cow-boys repérèrent, à une hauteur de 2 800 m dans la paroi d'un canyon, un palais de pierre de 217 pièces. Il s'agissait de Cliff Palace, le plus grand site de peuplement pueblo jamais découvert. On aurait dit que les habitants venaient de quitter leurs maisons, dans lesquelles on découvrit des coupes, des plats et des cruches aux magnifiques décorations noir et blanc. En explorant les environs, les hommes trouvèrent un autre village, Spruce Tree House, un site où vécurent plus de 100 personnes. Où étaient les habitants ? Qui les avaient chassés ?

**Des témoins de pierres.** Ces témoignages rocheux d'une civilisation indienne très avancée encouragèrent la recherche d'autres ruines et l'on découvrit juste en face de Cliff Palace un complexe inachevé comprenant des murs massifs et la base de deux édifices circulaires appelés *« kivas »*. Les Indiens qui vivaient encore dans cette région utilisaient ce lieu sacré, appelé « temple du Soleil », pour vénérer leurs ancêtres, les Anasazi. Dès 750 av. J.-C., une tribu nomade s'était installée sur ce site et avait construit des pueblos de plus en plus complexes dans les parois du canyon. À partir de 1200, elle

**EN BREF**

**Vers 750**
Début de la culture des Anasazi, ou Pueblos
**Vers 1150**
Aménagement d'habitations dans des grottes et sous des parois rocheuses en surplomb
**Vers 1200**
Aménagement de complexes d'habitation plus grands dans Cliff Canyon et Fewkes Canyon avec 33 complexes pouvant accueillir jusqu'à 800 habitants
**1277**
Agrandissement de Mug House, qui comprend désormais 94 pièces et 8 salles rituelles
**1978**
Inscription au patrimoine mondial de l'Unesco

**Page ci-contre:** les bâtiments troglodytiques du parc national de Mesa Verde sont l'un des héritages les plus importants de l'ancienne civilisation indienne.

**Ci-contre:** vue rapprochée de Cliff Palace, le « palais de la falaise ». Les *kivas* étaient des édifices circulaires semi-enterrés utilisés pour les cérémonies.

avait bâti des édifices spectaculaires comme Balcony House, l'un des pueblos les plus inaccessibles, ou Long House dans Wetherill Canyon que l'on ne remarque que lorsque le soleil ne se reflète pas sur les parois rocheuses. Pendant les fouilles, on mit au jour près de 4000 bâtiments dans le parc national de Mesa Verde.

**Un lieu mystique.** Les Indiens prétendent que l'on peut encore entendre ici la voix de leurs ancêtres, ce qui attire des milliers de pèlerins voulant vivre une expérience mystique sur le bord des *kivas*. Au centre de chaque *kiva*, que l'on ne peut atteindre que par une échelle à partir du toit, se trouve une ouverture, le *shipapu*: il s'agit d'une porte vers l'au-delà, vers un autre monde. C'est là que l'on fait des sacrifices en l'honneur des ancêtres et que l'on vit, en transe, la translation dans une autre dimension.

**Ci-dessous:** lors de la découverte de Cliff Palace en 1888, la vaisselle et les outils étaient encore à portée de main à l'intérieur des maisons.

ÉTATS-UNIS, CALIFORNIE

# Mont Shasta

POUR LES INDIGÈNES, LE MONT SHASTA EST UN LIEU D'UNE GRANDE IMPORTANCE SPIRITUELLE. AUJOURD'HUI, LES DISCIPLES DU NEW AGE VIENNENT EUX AUSSI SUR CETTE MONTAGNE, D'OÙ ÉMANE UNE FORCE D'ATTRACTION MYSTIQUE.

Le mont Shasta doit son nom aux Indiens shastan qui y vivent. Par ailleurs, les Wintu, les Karuk, les Ajumawi, les Okwanuchu ou encore les Modoc ont toujours considéré ce volcan éteint avec ses deux sommets enneigés comme un lieu sacré. Les guérisseurs venaient régulièrement y méditer, cueillir des plantes médicinales et effectuer leurs rites d'initiation. Compte tenu de la forte énergie tellurique dégagée par le mont, ce dernier était également considéré comme un lieu de guérison et d'orientation spirituelle. Des fouilles ont mis au jour des artefacts qui prouvent que le versant nord de la montagne était déjà peuplé en 600 av. J.-C. au moins.

**Le centre de la Création.** Selon les tribus de la région, le « Grand Esprit » créa le mont Shasta en faisant tomber de la glace et de la neige par un trou percé dans le ciel afin de pouvoir descendre sur Terre. Il façonna ensuite les arbres et ordonna au soleil de faire fondre la neige pour donner naissance aux fleuves et aux lacs. Il souffla sur les feuilles des arbres et créa les oiseaux. Il cassa des branches et les jeta dans les cours d'eau où elles se transformèrent en poissons, et dans les forêts où elles devinrent des animaux. Dans la mythologie des Indiens modoc, le « Grand Esprit » vécut sur le mont Shasta après la création de la Terre. Sa

fille, qui était tombée de la montagne, fut élevée par des grizzlys. C'est en s'unissant à l'un d'eux qu'elle donna naissance aux êtres humains. Pour punir les ours d'un tel crime, le « Grand Esprit » les condamna à marcher à quatre pattes et dispersa les enfants de sa fille dans le monde entier. Les Indiens célèbrent encore les anciens rituels en l'honneur de la montagne. Les Wintu, par exemple, invoquent leurs esprits lors de danses rituelles et leur demandent de préserver les sources sacrées.

**Une porte vers la cinquième dimension.** Le mont Shasta attire aujourd'hui les disciples du New Age qui y voient un lieu de guérison et d'introspection. Pour plus de 100 groupes et sectes, le mont Shasta est une source sacrée d'harmonie et de paix, un lieu de pèlerinage. De nombreux mouvements le vénèrent pour son énergie cosmique, en tant que lieu d'atterrissage d'ovnis, comme une porte vers la cinquième dimension, une source de cristaux magiques et l'une des sept montagnes sacrées du monde. De nombreuses légendes anciennes se réfèrent au mont Shasta. Elles parlent de petits êtres qui vivraient à l'intérieur de la montagne et seraient les descendants des survivants de la Lémurie, un continent disparu qui aurait existé il y a environ 30 000 ans dans le Pacifique, à peu près à l'endroit où se trouve aujourd'hui Hawaï. La Lémurie était peuplée d'êtres parfaits vivant en harmonie avec la nature.

**Ci-contre :** le mont Shasta, la deuxième plus haute montagne de la chaîne des Cascades dans le nord de la Californie, surplombe majestueusement le paysage alentour.

## EN BREF

**Altitude :** 4 322 m
**1786**
Dernière éruption du volcan
**1827**
« Première découverte » tardive par les Européens
**1971**
Fondation d'un monastère bouddhiste sur la montagne

**Ci-dessous :** moines du monastère bouddhiste se rendant en ville pour demander l'aumône. Les communautés de religions « importées » se sentent elles aussi chez elles dans les lieux d'où émane une forte énergie comme le mont Shasta.

ÉTATS-UNIS, CALIFORNIE

# Mission Trail

DE 1769 À 1823, DES MOINES FRANCISCAINS CONSTRUISIRENT 21 MISSIONS LE LONG DE LA CÔTE CALIFORNIENNE AFIN DE DIFFUSER LA FOI CHRÉTIENNE, MAIS AUSSI DE SERVIR DE POINTS DE DÉPART POUR UNE FUTURE COLONISATION.

La création de missions en Californie, une zone appartenant à l'époque au Mexique et s'étendant jusqu'au nord de l'actuelle ville de San Francisco, fut décidée sous le règne du roi Philippe V d'Espagne (1683-1746). La parole de Dieu devait être diffusée aux quelque 300 000 Indiens indigènes qui vivaient alors regroupés au sein d'une centaine de tribus. Après que l'ordre fut donné en 1768 « d'occuper et de fortifier San Diego et Monterey pour Dieu et pour le roi d'Espagne », des moines franciscains commencèrent à fonder au total 21 missions en Haute-Californie (Alta California). Tandis que les franciscains progressaient vers le nord, les dominicains reprirent dans le sud, en Basse-Californie (Baja California), les 15 missions des jésuites, qui venaient d'être rappelés en Espagne.

**Misión San Diego de Alcalá.** Fondée en juillet 1769 par Fray Junípero Serra, San Diego de Alcalá fut la première mission de la « route des missions ». En raison de conflits répétés avec les Indiens, cette mission dut être déplacée plusieurs fois. En novembre, elle fut en outre réduite en cendres par plus de 800 guerriers appartenant à différentes tribus. Bien que la christianisation eût commencé lentement, en 1797 la mission contrôlait déjà 50 000 ha de terres cultivées et possédait 20 000 moutons,

**EN BREF**

Les missions de Californie par ordre chronologique :

**San Diego de Alcalá,** 1769 San Diego
**San Carlos Boromeo de Carmelo,** 1770 Carmel
**San Antonio de Padua,** 1771 Monterey County
**San Gabriel Arcángel,** 1771 San Gabriel
**San Luis Obispo de Tolosa,** 1772 San Luis Obispo
**San Francisco de Asís,** 1776 San Francisco
**San Juan Capistrano,** 1776 Capistrano
**Santa Clara de Asís,** 1777 Santa Clara
**San Buenaventura,** 1782 Ventura
**Santa Barbara,** 1786 Santa Barbara
**La Purisima Concepción,** 1787 Lompoc
**Santa Cruz,** 1791 Santa Cruz
**Nuestra Señora de la Soledad,** 1791 Soledad
**San José,** 1797 Fremont
**San Juan Bautista,** 1797 San Juan Bautista
**San Miguel Arcángel,** 1797 Paso Robles
**San Fernando Rey de España,** 1797 près de Los Angeles
**San Luis Rey de Francia,** 1798 San Luis Rey
**Santa Inés,** 1804 Solvang
**San Rafael Arcángel,** 1817 San Rafael
**San Francisco Solano,** 1823 Sonoma

**Page ci-contre** : statue d'un moine franciscain près de l'église de la mission San Diego de Alcalá construite en 1813 par des franciscains espagnols.

**Ci-contre :** l'église de la mission de San Francisco fondée en 1791, connue sous le nom de « Mission Dolores », est le plus ancien édifice de la ville.

10 000 bovins et 1 250 chevaux. L'église fut sécularisée en 1834 et les soldats l'utilisèrent comme étable. Elle fut restituée à l'Église catholique en 1862 et prit son apparence actuelle en 1931.

**Misión San Francisco de Asís.** Cette église a résisté à deux séismes et est aujourd'hui le plus ancien édifice de San Francisco. La ville lui doit autant son nom que son existence. Bien que la mission ait été baptisée en l'honneur de François d'Assise, elle prit rapidement le nom de Mission Dolores d'après un petit cours d'eau des environs, l'Arroyo de los Dolores. Fondée le 29 juin 1769, soit cinq jours après la Déclaration d'Indépendance, cette mission fut la sixième des 21 missions à apparaître en Californie. En 1918, le complexe fut agrandi par la construction d'une grande basilique dotée de deux hauts clochers différents dans le plus pur style colonial espagnol.

**Misión San Francisco Solano.** La dernière mission fondée fut San Francisco Solano à Sonoma, point final de la chaîne de la puissance espagnole et de la foi chrétienne qui s'étirait jusqu'à la Terre de Feu. Il s'agit de la seule mission fondée par le Mexique, en 1823. Cette église toute simple revêt une importance particulière pour l'histoire de la Californie car c'est là que l'on fit flotter pour la première fois le drapeau arborant l'ours. On pourrait presque dire que la Californie moderne et américaine fut créée ici. William Randolph Hearst acheta l'église en 1926, puis il la restaura et la donna à l'État de Californie en 1944.

**Ci-contre :** les éléments populaires et folkloriques de l'autel de l'église de San Francisco Solano contrastent avec les reliefs classiques des colonnes.

ÉTATS-UNIS, ARIZONA

# Sedona

DEPUIS DES MILLIERS D'ANNÉES, VERDE VALLEY, DANS L'ARIZONA, EST UN LIEU SACRÉ POUR LES INDIENS. PLUS RÉCEMMENT, LES ÉTRANGES FORMATIONS DE GRÈS ROUGE DE SEDONA SONT DEVENUES UN DES CENTRES MONDIAUX DU MOUVEMENT NEW AGE.

Des artefacts témoignent de la présence de l'homme à Sedona dès le IVe millénaire avant notre ère. Succédant à différentes tribus nomades, les Indiens hohokam occupèrent cette zone désertique à partir de 500 ap. J.-C. environ. Ils aménagèrent des canaux d'irrigation pour fertiliser cette terre inhospitalière. Les Indiens sinagua s'installèrent à leur suite, vers 1000 ap. J.-C. Leur nom espagnol, qui signifie « sans eau » en français, indique que les membres de cette tribu étaient capables de faire de l'agriculture dans une région privée d'eau. Les Sinagua fondèrent des pueblos et construisirent, notamment à Palatki, Honanki et Wupatki, des salles comprenant des représentations astrologiques qui font dire aux archéologues que leurs rituels religieux reposaient sur des observations astronomiques. De nombreux archéologues pensent qu'ils quittèrent ce territoire vers 1060 après une éruption volcanique qui forma Sunset Crater.

**Le pèlerinage New Age le plus populaire des États-Unis.** De nombreux groupes New Age se retrouvent dans la ville de Sedona ; ils utilisent l'énergie particulière de ce lieu pour guérir les croyants avec des cristaux, des techniques de reiki ou l'équilibre des champs magnétiques, mais aussi pour leur proposer des voyages spirituels

**EN BREF**

**4000 av. J.-C.**
Première occupation du site par des tribus indiennes
**1583**
Découverte et colonisation par les Européens
**1956**
Construction de la chapelle Sainte-Croix (Chapel of the Holy Cross)
**1980**
Premières identifications de vortex

**Page ci-contre :** le paysage de Sedona et des environs exerce une grande force d'attraction pour tous ceux qui pratiquent la spiritualité et qui recherchent ici une guérison énergétique.

**Ci-contre :** Montezuma's Castle, dans Verde Valley, une habitation troglodytique de 20 pièces datant du XIIe siècle mais désertée depuis longtemps.

et des explorations de leurs vies antérieures. Les religions traditionnelles se sont également implantées ici, en particulier l'Église catholique avec la spectaculaire chapelle Sainte-Croix qui semble comme ancrée entre les rochers. Depuis les années 1980, Sedona est devenu le pèlerinage New Age le plus populaire des États-Unis. Chaque année, plus de quatre millions de personnes viennent ici pour ressentir l'énergie spirituelle de ce lieu sacré.

**Power vortex.** Pour les adeptes du New Age, ce sont surtout les vortex qui donnent à Sedona sa puissance particulière. Les vortex sont des points énergétiques mystiques puissants, des lieux où les lignes magnétiques invisibles de l'énergie cosmique, les lignes « ley », se croisent. Ces lignes sont souvent associées aux lieux d'atterrissage des ovnis ou aux lignes spirituelles des voyages astraux des chamans. Les sourciers trouvent et cartographient ces lignes et leurs intersections pour permettre aux croyants d'y méditer ou d'y faire l'expérience d'une guérison spirituelle ou physique. Les quatre vortex les plus célèbres de Sedona sont Bell Rock, Airport Mesa, Cathedral Rock et Boynton Canyon.

**Ci-dessous :** une « medicine wheel », un cercle de pierres symbolique très « chargé » servant à la médication et à la guérison, en arrière-plan le coucher de soleil sur le Red Rock Secret Mountain Wilderness.

ÉTATS-UNIS, ARIZONA

# Monts de la Superstition

CES MONTS SACRÉS CULMINENT À 1 000 M D'ALTITUDE DANS LE DÉSERT DE L'ARIZONA, À L'EST DE PHOENIX. CE LIEU MAGIQUE, OÙ LES CROYANCES ANCIENNES ET MODERNES RESTENT BIEN VIVANTES, FAIT L'OBJET DE NOMBREUX MYTHES ET CONTES INDIENS PARLANT DE TRÉSORS PERDUS.

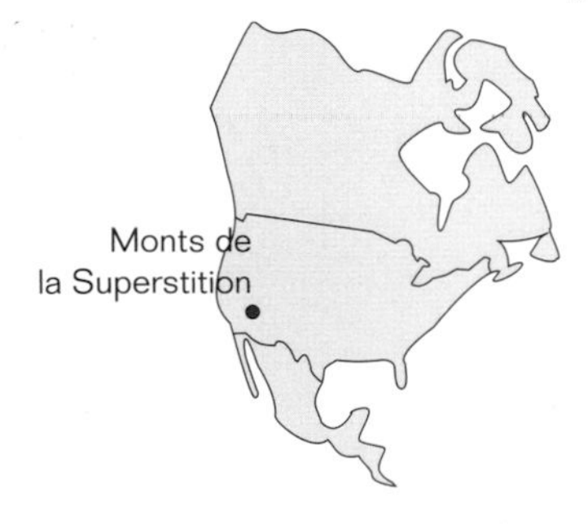


Les monts de la Superstition dans le désert de l'Arizona ont 29 millions d'années. Des découvertes archéologiques prouvent que des hommes se sont installés ici il y a déjà 9 000 ans. Ces premiers occupants précédèrent les tribus des Indiens salado, hohokam, pimo et apaches auxquels succédèrent les conquérants espagnols et les chercheurs d'or mexicains.

**Monts de la superstition.** Comme toutes les hautes montagnes, ce monolithe aux pics en dents de scie est sacré pour les Indiens, qui lui donnent différents noms. Pour les Pim, il était par exemple Ka-Ka-tak-Tami, la « montagne au sommet difforme », puis des fermiers de Salt River Valley le baptisèrent finalement Superstition Mountains, les « monts de la superstition », car les Indiens leur avaient raconté tant d'histoires et de légendes angoissantes à son sujet qu'ils s'en tenaient à l'écart par superstition. Aucune chaîne de montagnes en Amérique du Nord n'est entourée d'autant de mythes et légendes. Les Pima croient ainsi que le tonnerre est engendré ici par des esprits maléfiques. Pour les Apaches, ces montagnes abritent la demeure du dieu du tonnerre, mais aussi et surtout le trône du créateur de la Terre, Cherwit Make, qui attend le jour du jugement dernier. En conséquence, aucun Apache n'oserait traverser ces montagnes. Pour

Page ci-contre : des cactus Saguaro aux pieds des monts de la Superstition, dans le Lost Dutchman State Park, Arizona, terrain fertile pour les mythes et les légendes.

**Ci-contre :** des peintures rupestres comme celle-ci, dans le Superstition Mountain Wilderness Area, ont aussi été préservées dans d'autres sites d'Amérique du Nord. Les pétroglyphes de Peterborough, par exemple, sont très célèbres.

beaucoup, les monts de la Superstition sont le berceau des Aztèques, dont le trésor secret serait encore caché quelque part dans ces massifs.

Les Apaches croient également que le tunnel qui mène à l'autre monde se trouve ici et que les vents qui sortent de ce tunnel seraient à l'origine des dangereuses tempêtes de sable. Ces légendes s'accompagnent de nombreux récits sur des trésors perdus et des mines d'or, notamment Lost Dutchman's Gold Mine (la « mine d'or du Hollandais perdu ») de Jacob Waltz, qui aurait découvert la mine d'or la plus abondante du monde, ou Geronimo's Gold Cave, où l'on pense que se trouve l'or des conquistadors espagnols. Des ovnis auraient été vus plusieurs fois à proximité des monts de la Superstition, on parle d'enlèvements commis par des extraterrestres, de découvertes de cadavres mystérieux et d'apparitions de gnomes qui habiteraient dans des grottes creusées dans les rochers.

**Ci-dessous :** Volcanic Rock – il n'est pas surprenant que de telles formations rocheuses aient abondamment nourri l'imagination, mais aussi les peurs, des visiteurs.

**EN BREF**

L'ensemble du territoire du Superstition Mountain Wilderness Area couvre 160 000 ha

**1639**

Le missionnaire italien Fray Marcos de Niza est le premier Européen sur place

**1891**

Mort du colon allemand Jacob Waltz, qui aurait découvert la Lost Dutchman's Gold Mine

ÉTATS-UNIS, NOUVEAU-MEXIQUE

# Pueblo de Taos

VERS LE Xe SIÈCLE, DES ANCÊTRES DES INDIENS ANASAZI S'INSTALLÈRENT AU NORD DE SANTE FE AU NOUVEAU-MEXIQUE, DANS LA VALLÉE DU RIO GRANDE. LE PUEBLO DE TAOS EST LE PLUS ANCIEN CENTRE DE PEUPLEMENT DES ÉTATS-UNIS.

Le village de Taos fut découvert en 1540 par une expédition espagnole qui cherchait de l'or. Dans leurs rapports, les Espagnols écrivirent que Taos était le village le plus densément peuplé du pays. La plupart des habitations du pueblo furent construites entre l'an 1000 et la découverte par les Espagnols. Depuis, le village et ses maisons en adobe n'ont pratiquement pas changé ; comme autrefois, il n'y a toujours pas l'électricité. Les Indiens taos sont agriculteurs, ils élèvent des chevaux et des bovins, ils sont réputés traditionalistes et très croyants. Ils vivent en accord avec la nature, qui ne doit pas être perturbée car toute disharmonie mettrait en péril leur croyance en la continuité de la vie humaine. Seule une légende explique encore comment ils sont arrivés ici il y a très longtemps : un aigle les aurait conduits dans cette vallée fertile et y aurait pondu deux œufs, un sur chaque rive du rio Pueblo qui partage le village. La danse de l'aigle fait d'ailleurs toujours partie du rituel célébré à Taos dans le lieu le plus sacré du village, au bord du lac Bleu où le rio Pueblo prend sa source. Le lac Bleu, sur les rives duquel toutes les grandes cérémonies de la tribu ont lieu, n'est accessible qu'aux membres de la tribu, de même que les *kivas* dans lesquelles se déroulent d'autres rites.

**EN BREF**

Peuplement par les Indiens anasazi depuis le Xe siècle

**1540-1542**
Francisco Vásquez de Coronado cherche de l'or pour le compte de l'Espagne

**1598**
Début de la colonisation et des missions espagnoles

**1848**
Fin de la guerre américano-mexicaine

**1992**
Inscription au patrimoine mondial de l'Unesco

**Ci-contre, à droite :** l'église San Geronimo. La christianisation forcée aux XVIIe et XVIIIe siècles a entraîné la construction de plusieurs églises chrétiennes à Taos.

**La christianisation, une forme de guerre.** Philippe II d'Espagne ordonna en 1598 de coloniser le pays et de le partager entre les conquérants. Les soldats étaient accompagnés de moines franciscains, qui effectuèrent des baptêmes forcés dans tout le Nouveau Monde et détruisirent sans égards les symboles « païens ». La christianisation, une forme de guerre : les indigènes furent convertis au christianisme par la violence. Ils se révoltèrent en 1680 : toutes les tribus se soulevèrent contre les Espagnols et finirent par les chasser, mais, à peine 12 ans plus tard, les Espagnols envahirent de nouveau le pays. Lorsque le gouvernement américain déplaça les « Native Americans » dans des réserves au XIXe siècle, le pueblo de Taos fut épargné. Le site était trop isolé, trop peu rentable, bref sa colonisation n'était pas intéressante. Son mode de vie ancestral put ainsi être préservé.

**En haut :** des habitants de Taos lors d'une danse. La traditionnelle danse de l'aigle fait encore partie du rituel sacré.

**Ci-contre :** l'apparence du village avec ses maisons en adobe a peu changé au cours des siècles.

ÉTATS-UNIS, NOUVEAU-MEXIQUE

# Chimayó

LE SANCTUAIRE DE CHIMAYÓ FUT CONSTRUIT SUR UNE TERRE SACRÉE POSSÉDANT DE MYSTÉRIEUSES VERTUS CURATIVES. LA LÉGENDAIRE ÉGLISE EN ADOBE EST SANS DOUTE L'ÉGLISE LA PLUS VISITÉE DU NOUVEAU-MEXIQUE.

Alors qu'au début du XIXe siècle le moine Don Bernardo Abeyta, membre de la fraternité Nuestro Padre Jesús Nazareno, partit de Chimayó pendant la nuit du Vendredi Saint pour aller faire pénitence dans les Sangre de Cristo Mountains, en plein désert du Nouveau-Mexique, il aperçut une lumière sur le flanc d'une montagne près du fleuve Santa Cruz. Don Bernardo se rapprocha du lieu et découvrit que la lumière sortait directement du sol. Il se mit alors à creuser et dégagea rapidement un mystérieux crucifix. Il le laissa sur place et partit immédiatement trouver Sebastian Alvarez, le prêtre du village. Avec quelques voisins, ils se rendirent sur le lieu de la découverte pour rapporter le crucifix dans l'église du village en une procession solennelle et l'installer dans une niche. Le lendemain matin, le crucifix avait disparu de l'église et fut redécouvert dans le trou sur le flanc de la montagne. Le phénomène se reproduisit une seconde fois. Les villageois, pensant que le Seigneur s'était exprimé, édifièrent une chapelle sur le lieu même de la découverte pour abriter le crucifix, qui fut très vite baptisé « Notre Seigneur d'Esquipulas ». Des guérisons miraculeuses eurent lieu peu de temps après et le nombre de pèlerins augmenta si rapidement que la chapelle fut

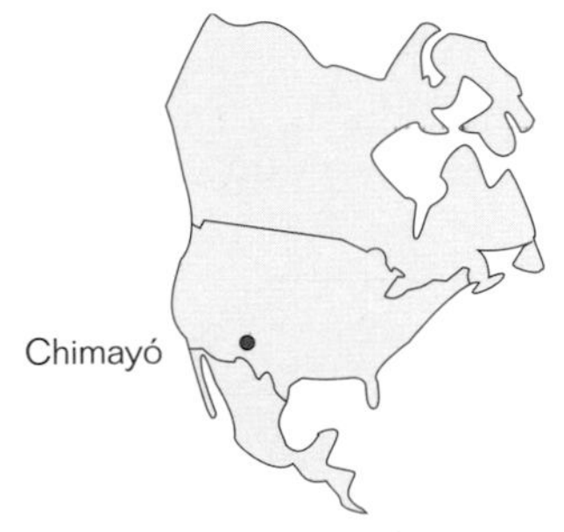

**EN BREF**

**1680-1692**
Première occupation de la Chimayó Valley par les colons espagnols
**1740**
Aménagement de la Plaza de San Buenaventura (l'actuelle Plaza del Cerro) en fort
**1810**
Découverte dans le désert du crucifix par un moine
**1814-1816**
Construction de l'église
**1929**
El Santuario est une propriété privée

**Page ci-contre et ci-dessus :** le sanctuaire de Chimayó compte parmi les plus beaux ensembles en adobe du Nouveau-Mexique. Une petite cour intérieure entourée de murs précède la petite église.

remplacée par une église plus grande qui existe encore aujourd'hui : El Santuario de Chimayó.

**Une terre sacrée.** Le crucifix est toujours accroché sur le mur de l'autel dans la petite église. Chaque année, plus de 300 000 pèlerins affluent dans le sanctuaire au cours de la Semaine-Sainte. Ils viennent prier et demander à Dieu d'établir la paix dans le monde ou encore d'exaucer leurs souhaits. Certains se rendent au sanctuaire seulement pour ressentir la force salvatrice de ce lieu sacré. Ils visitent le sanctuaire et ramassent un peu de terre à l'endroit où le crucifix a été trouvé. Des milliers de personnes y ont été guéries de leurs maladies et libérées de leurs maux, aussi bien physiques que psychiques. Les murs du sanctuaire sont recouverts de béquilles, de photographies et d'*ex-voto*. L'église fut pendant longtemps une propriété privée, mais elle fut rachetée par les habitants de Sante Fe qui la cédèrent au diocèse de Sante Fe.

**Ci-dessous :** le mur de l'autel de l'église accueille le célèbre crucifix qui attire des foules de pèlerins à Chimayó.

ÉTATS-UNIS, HAWAÏ

# Haleakalã

LE CRATÈRE DU VOLCAN SITUÉ SUR L'ÎLE MAUI, L'UNE DES ÎLES LES PLUS JEUNES D'HAWAÏ, PORTE LE NOM D'HALEAKALÃ. POUR LES POLYNÉSIENS, CE CRATÈRE ÉTAIT UN SANCTUAIRE SERVANT AU CULTE DES ANCÊTRES.

**EN BREF**

Altitude au-dessus du niveau de la mer : **3055 m**
Altitude à partir du fond de la mer : **9100 m**
97 % du massif de l'Haleakalã sont immergés
**1790**
Dernière éruption

Le volcan Haleakalã a commencé à sortir du fond de la mer il y a environ 2 millions d'années. On le qualifie souvent de volcan endormi, ce qui est faux car il est entré en éruption au moins dix fois au cours des 1 000 dernières années. Le cratère est l'un des plus grands du monde, des sentiers permettent de descendre depuis ses bords jusqu'à 1 000 m dans la large caldeira.

Le mot *haleakalã* peut se traduire par « maison du Soleil ». D'après une légende polynésienne, le demi-dieu Maui captura ici le dieu du Soleil et l'obligea à ralentir sa course afin que sa mère dispose de plus temps pour accomplir ses diverses tâches au cours de la journée. Auparavant, le Soleil se déplaçait trop vite avec ses pattes d'araignée – les rayons.

La découverte d'autels et de petits temples heiau à l'intérieur de l'immense cratère a révélé que, dans leur culte des ancêtres, les Polynésiens vénéraient déjà l'Haleakalã comme un lieu sacré au VIIIe siècle. On retrouve aujourd'hui encore souvent des offrandes enveloppées dans des feuilles au fond du cratère. La croyance en la force de l'Haleakalã n'est pas morte.

**En haut :** le saisissant paysage de cratères aux sommets creusés explique les peurs que le volcan a pu susciter chez les habitants de l'île.

# Pu'uhonua o Hõnaunau

PU'UHONUA O HÕNAUNAU, « LE REFUGE SACRÉ », TEL EST LE NOM DE CE LIEU OÙ LES HAWAÏENS SE SONT RENDUS PENDANT DES SIÈCLES POUR SE PROTÉGER DE LA COLÈRE DIVINE.

Les Hawaïens qui avaient enfreint une *kapu*, c'est-à-dire une ancienne loi divine, pouvaient échapper à la mort s'ils atteignaient Pu'uhonua. Le coupable était alors jugé par le *kahuna pule*, le prêtre, puis il était gracié et repartait libre. Mais ce lieu sacré ne servait pas uniquement aux Hawaïens qui souhaitaient se soustraire à la colère divine : les guerriers blessés ou vaincus y trouvaient également un lieu d'asile sûr, à l'abri de leurs ennemis.

L'actuel parc national est divisé en deux parties : le palais des chefs de tribu et le sanctuaire, le Pu'uhonua. Le palais a été reconstruit suivant le plan de la fin du XVIIe siècle. Les deux zones sont séparées par un grand mur de pierres édifié quant à lui au XVe siècle. On y trouve la reconstitution du Hale o keawe heiau (*heiau* signifie « temple »). Le bâtiment initial avait été construit vers 1650 et contenait les ossements d'au moins 23 chefs. Les Hawaïens pensaient que la force émanant des ossements des chefs conférait une puissance encore plus grande à ce lieu d'asile.

## EN BREF

**Vers 1500**
Construction du grand mur
**1818**
Le chef de tribu Kamehameha Ier est le dernier à être enterré à Hale o keawe
**1961**
Le City of Refuge Park devient un parc national

**Ci-dessous :** la palissade ponctuée de totems en bois et la reconstitution d'un bâtiment traditionnel dans le City of Refuge National Historical Park dans l'archipel d'Hawaï.

CANADA

# Sainte-Anne-de-Beaupré

CETTE BASILIQUE SE TROUVE JUSTE À L'EXTÉRIEUR DE QUÉBEC, SUR LES RIVES DU SAINT-LAURENT. C'EST UNE ÉGLISE DE PÈLERINAGE QUI, DU FAIT DES GUÉRISONS QUI S'Y SONT PRODUITES, ATTIRE CHAQUE ANNÉE PLUS D'UN MILLION DE PÈLERINS.

Sainte Anne était la mère de la Vierge Marie, et donc la grand-mère de Jésus. Anne et son mari Joachim sont mentionnés pour la première fois dans des manuscrits de l'Église primitive datant du IIe siècle. Le culte de sainte Anne, dont le nom signifie « pleine de grâce » en hébreu, ne date cependant que du VIe siècle et n'a connu son apogée qu'à la fin du Moyen Âge. Le pape Sixte IV intégra son nom dans le calendrier romain à la fin du XVe siècle.

Anne est considérée comme la grande protectrice des orages. Pendant la colonisation du Nouveau Monde par les Français, son culte était très important au Canada.

**Un sanctuaire sur les rives du Saint-Laurent.** La première chapelle fut construite en 1658 sur les rives du Saint-Laurent. Elle abritait une petite statue de la sainte qui commença, à peine 30 ans plus tard, à attirer les pèlerins. La même année, un ouvrier fut miraculeusement guéri et des marins qui avaient été pris dans une tempête fatale furent sauvés après avoir invoqué la sainte. Depuis le début du XVIIIe siècle, sainte Anne est vénérée par les Indiens d'Amérique comme la « grand-mère de la foi ». Des miracles et des guérisons se produisent aujourd'hui encore dans cette église et la petite chapelle

**EN BREF**

**1481**
Intégration d'Anne dans le calendrier romain par le pape Sixte IV

**1584**
Le pape Grégoire XIII fixe le jour de la fête de la sainte.

**1676**
Construction de la troisième église en pierres

**1876**
Sainte Anne devient la sainte patronne du Québec

**1892**
Le pape Léon XIII envoie des reliques de la sainte au Canada

**1926**
Consécration de l'église actuelle

**Page ci-contre :** l'église néogothique consacrée à sainte Anne est l'une des premières églises de pèlerinage d'Amérique du Nord.

**Ci-contre :** cette photographie de l'intérieur de l'édifice donne un aperçu de ses dimensions. La basilique mesure 105 m de longueur et le transept 61 m de largeur.

est remplie de béquilles, de cannes, de fauteuils roulants, d'*ex-voto* et de récits des miracles.

En 1892, le pape Léon XIII envoya une relique de la sainte au Canada. Sur son parcours, à New York, un homme fut guéri de l'épilepsie après avoir prié devant la caisse qui transportait la relique. Le nombre de pèlerins américains se rendant à Québec a depuis très fortement augmenté.

L'église néogothique telle qu'on la visite aujourd'hui à Québec fut consacrée en 1926. Elle remplaça la basilique de 1876, détruite par un incendie en 1922.

**Une statue miraculeuse de la sainte.** La nouvelle église se caractérise par sa grande luminosité : quelque 240 vitraux colorés laissent pénétrer la lumière dans la nef. Les murs et les plafonds sont recouverts de mosaïques représentant des scènes de la vie de sainte Anne. Les pèlerins viennent cependant surtout pour se recueillir devant la statue miraculeuse de la sainte. Sculptée d'une seule pièce dans un chêne, elle est peinte de couleurs vives, la tête ceinte d'une couronne dorée ornée de diamants, de rubis et de perles. Elle porte son enfant, Marie, dans ses bras. Le sanctuaire connaît une grande affluence de pèlerins venus du monde entier le 26 juillet, fête de sainte Anne, ainsi que le dimanche précédant la naissance de Marie, le 8 septembre.

**Ci-dessous :** photographie de la croisée du transept ornée de fresques. Certaines colonnes arborent des chapiteaux décorés de sculptures.

CANADA

# Basilique Notre-Dame

LA BASILIQUE NOTRE-DAME, SITUÉE DANS LA VIEILLE VILLE DE MONTRÉAL, AU CANADA, ÉTAIT À SA CONSTRUCTION LA PLUS GRANDE ÉGLISE D'AMÉRIQUE DU NORD. ELLE ATTIRE DE TRÈS NOMBREUX PÈLERINS CATHOLIQUES.

En 1657, quatre prêtres accostèrent à Ville-Marie, l'actuelle Montréal. Ils avaient été envoyés dans le Nouveau Monde par Jean-Jacques Olier (1608-1657), fondateur de l'ordre de saint Sulpice, appelé aussi « saint Sulpice le Pieux de Bourges », pour prêcher la foi chrétienne. La communauté qu'ils fondèrent fut consacrée à la Vierge Marie et, dès 1672, ils construisirent la première église Notre-Dame. Quelque 150 ans plus tard, la construction d'une nouvelle église fut décidée, la précédente étant devenue trop petite pour la communauté en pleine expansion. L'architecte américain James O'Donnell (1774-1830) fut chargé des travaux et s'orienta vers un style néogothique. Lui-même fut tellement subjugué par son travail qu'il se convertit au catholicisme peu de temps avant sa mort. Il est la seule personne à être enterré dans la crypte de l'église. Notre-Dame peut aujourd'hui accueillir 4 000 fidèles.

**Des couleurs vives.** Notre-Dame n'est pas seulement la plus grande église du Canada, son intérieur est aussi le plus somptueusement décoré et l'un des plus beaux du monde. Les plafonds de la basilique sont bleu foncé et parsemés d'étoiles dorées. Le reste est multicolore et très gai. La multitude des détails ainsi que les

**EN BREF**

**1657**
Arrivée de quatre prêtres à Ville-Marie et fondation de la communauté Notre-Dame
**1672**
Construction de la première église
**1824**
James O'Donnell dessine les plans de la nouvelle basilique
**1978**
Incendie criminel dans la chapelle du Sacré-Cœur
**1982**
Jean-Paul II élève l'église au rang de *Basilica minor*

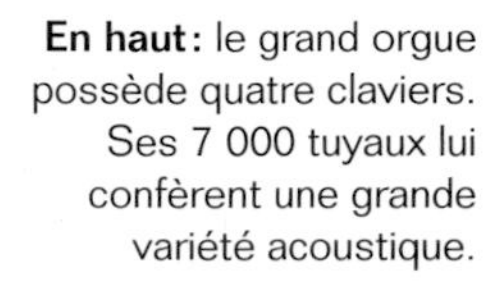

**En haut :** le grand orgue possède quatre claviers. Ses 7 000 tuyaux lui confèrent une grande variété acoustique.

**Page ci-contre :** la plus grande église du Canada se caractérise par ses tribunes doubles, sa largeur considérable et ses nombreux ornements.

nombreuses sculptures en bois précieux, en partie peintes et dorées, sont impressionnantes. Le maître-autel en tilleul a notamment été réalisé par le sculpteur et architecte canadien Victor Bourgeau (1809-1888). L'autel est composé de 32 panneaux qui représentent la naissance, la vie et la mort. La chapelle du Sacré-Cœur se trouve juste derrière, elle fut détruite en grande partie en 1978 par un incendie criminel allumé par un déséquilibré. Restaurée en 1982, elle a aujourd'hui retrouvé toute sa splendeur. Les vitraux multicolores présentent la particularité de narrer non des scènes bibliques, mais des épisodes de l'histoire religieuse de Montréal. Le pape Jean-Paul II a élevé ce sanctuaire du culte marial au rang de *Basilica minor*, geste qui honore l'importance de ce lieu et qui ne signifie pas obligatoirement que l'église suit le modèle de construction d'une basilique.

**Ci-dessous, à gauche :** la façade aux tours jumelles percées de plusieurs fenêtres est encadrée de bâtiments laïcs.

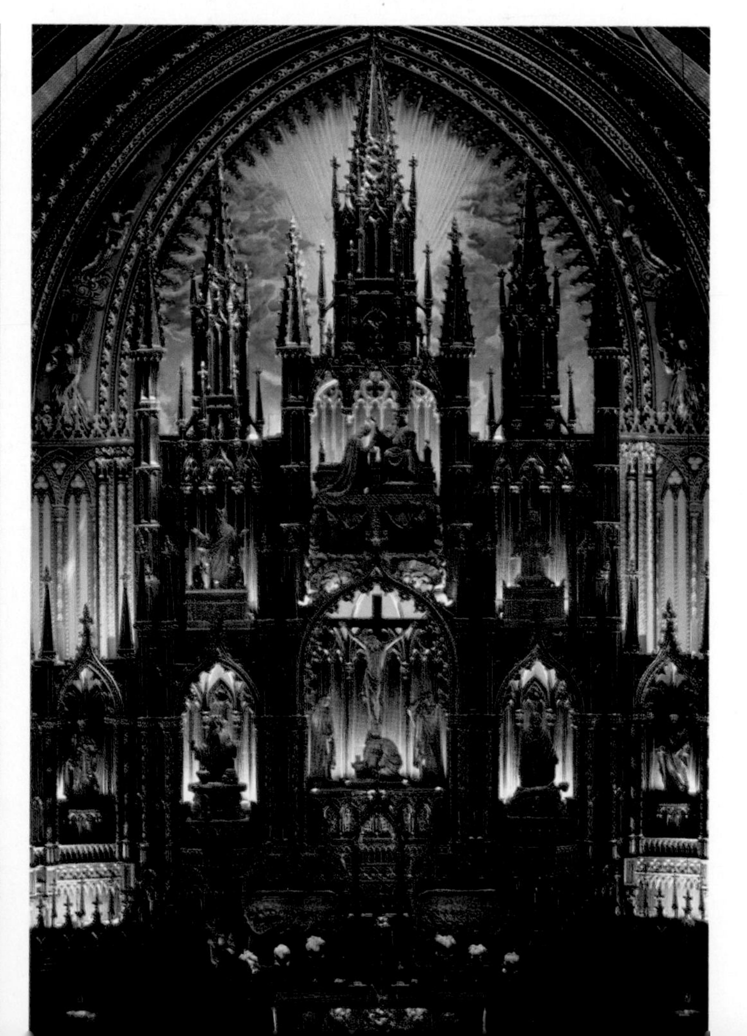

**Ci-dessous, à droite :** l'autel, en arrière-plan un sculptural et somptueux ensemble architectural.

Les peuples aztèque, maya, olmèque et inca édifièrent d'immenses lieux de culte en l'honneur de leurs dieux dans les vastes espaces naturels d'Amérique centrale et d'Amérique du Sud. Leurs religions mystérieuses connues pour leur pratique des sacrifices humains et dont les clés se sont perdues au fil des siècles, utilisaient de façon magistrale leur profonde connaissance des constellations, bien avant que cette science ne soit connue ailleurs.

# AMÉRIQUE
## CENTRALE ET DU SUD

MEXIQUE

# Chichén Itzá

LA PUISSANTE ET PROSPÈRE VILLE MAYA DE CHICHÉN ITZÁ, PLUS GRAND CENTRE SACRÉ PRÉ-HISPANIQUE DU NORD DU YUCATÁN, SE TROUVAIT SUR LA PÉNINSULE DU YUCATÁN ENTRE LE GOLFE DU MEXIQUE ET LA MER DES CARAÏBES.

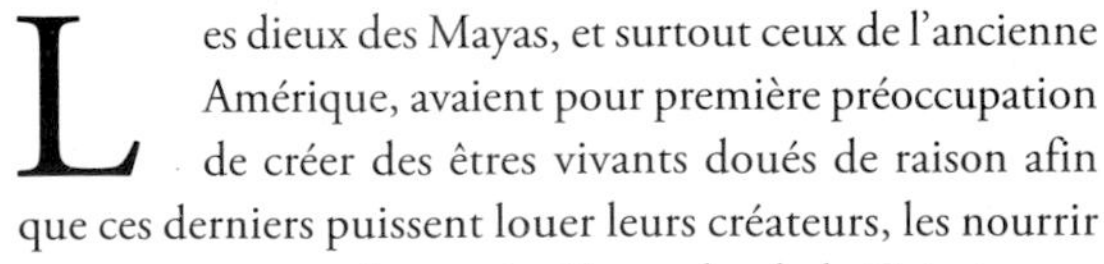

Les dieux des Mayas, et surtout ceux de l'ancienne Amérique, avaient pour première préoccupation de créer des êtres vivants doués de raison afin que ces derniers puissent louer leurs créateurs, les nourrir et les servir. Ce mythe de la Création est raconté dans le *Popol-Vuh*, le livre sacré des Mayas. L'Homme ne fut créé que lorsque les dieux lui eurent trouvé un aliment spécial : le dieu Quetzalcóatl, le serpent à plumes, apporta sur la Terre le maïs, symbole de l'humanité parfaite.

**Des rituels sanglants.** Lorsque les Mayas bâtirent leur cité de Chichén Itzá vers 435-455 ap. J.-C., ils formaient déjà un peuple très développé, leur histoire remontant au IVe millénaire avant J.-C. En revanche, ils n'étaient ni pacifiques, ni unifiés, mais au contraire très belliqueux et divisés en nombreuses tribus. Des étrangers mayas conquirent la ville en 1200, mais elle est depuis abandonnée. Les rois-prêtres régnaient sans merci sur leurs sujets et leurs rites religieux sanglants comprenaient des sacrifices humains. Le jeu de balle appelé *pok ta pok*, « équipe contre équipe », était une compétition à la fois religieuse et sportive. C'est à Chichén Itzá que l'on trouve le plus grand *Juego de pelota*, « terrain de jeu », du Mexique. En s'aidant uniquement des coudes et sans utiliser ni les pieds ni les

**EN BREF**

**Vers 435-455**
Fondation du site
**Vers 1200**
Conquête de la ville
**1533**
Les conquistadors envahissent le site, mais ne rencontrent aucune résistance notable
**1841-1842**
Exploration par John Stephens
**1923**
Fouilles systématiques de la ville en ruines
**1988**
Inscription au patrimoine mondial par l'Unesco

**Ci-contre :** tête en pierre en relief du temple du Tzompantli, c'est ici que l'on exposait les têtes des ennemis vaincus et des victimes des sacrifices rituels.

mains, les participants devaient faire passer une balle dans un anneau. À la fin de la partie, le capitaine de l'équipe vaincue était décapité sur le terrain. En revanche, il était considéré comme un honneur d'être sacrifié ainsi pour les dieux. Pour apaiser ces derniers, les offrandes et les hommes étaient jetés dans les « cénotes sacrées », des puits naturels pouvant atteindre une profondeur de 20 m qui permettaient d'accéder aux nappes phréatiques et étaient les seules sources d'eau permanentes du Yucatán, qui ne possède ni fleuve, ni lac. Lors des invocations pour faire venir la pluie, on utilisait des cœurs prélevés sur des corps vivants puis donnés à manger aux aigles. Les innombrables crânes des décapités empalés sur le *tzompantli*, sorte de râtelier, étaient offerts aux dieux pour s'attirer leurs grâces et garantir la survie du peuple. Mais ce fut en vain, car les Mayas avaient disparu avant l'arrivée de Christophe Colomb.

**Page ci-contre :** la résidence du souverain juchée au sommet de la pyramide de Kukulcán était un symbole de pouvoir visible de loin.

**En bas, à gauche :** un homme jouant au jeu de balle traditionnel. Ce jeu mortel était l'un des rituels les plus sanglants des Mayas.

**Ci-dessous :** têtes d'animaux terrifiantes sculptées dans la pierre sur le « temple des Guerriers », une salle en pierre qui servait à loger les armées.

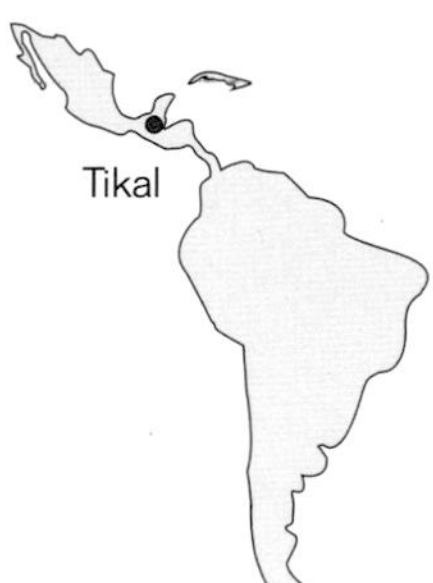


GUATEMALA

# Tikal

LES PYRAMIDES SACRÉES ET LES PALAIS DE TIKAL SE DRESSENT DANS LA JUNGLE GUATÉMALTÈQUE TELS LES TÉMOINS D'UN MONDE PERDU, ET LAISSENT DEVINER LA GRANDE MAÎTRISE DE LEURS CONSTRUCTEURS.

**EN BREF**

**400 av. J.-C.**
Première occupation de Tikal
**v^e siècle**
Apogée de la civilisation maya, 10 000 personnes environ vivent à Tikal
**vers 900**
Déclin de Tikal
**1881-1882**
Travaux de recherche d'Alfred Percival Maudslay, spécialiste des Mayas
**1979**
Inscription au patrimoine mondial de l'Unesco

Originaire des hauts plateaux du Guatemala, le peuple maya partit s'installer dans les vallées du Yucatán vers 1000 av. J.-C. et commença, à partir du VII^e siècle av. J.-C., à édifier d'immenses pyramides sacrées servant de lieux de culte. Le peuple maya était de nature belliqueuse, et sa religion exigeait des sacrifices humains à certaines dates de l'année ou pour des occasions particulières comme les funérailles des souverains. Les chefs eux-mêmes entretenaient une relation privilégiée avec les dieux, relation qu'ils exprimaient par des rituels sanglants infligés à leur propre personne. Ces pratiques cultuelles, de même que les sacrifices humains – souvent des prisonniers torturés puis exécutés – servaient autant à apaiser les dieux qu'à démontrer la puissance du souverain à son peuple afin d'asseoir sa position. L'invention de l'écriture fut un instrument supplémentaire pour affirmer le pouvoir : en consignant leurs actes par écrit, les « rois-dieux » étendaient leur renommée et accédaient à l'immortalité.

Les temples pyramidaux de Tikal offraient un décor impressionnant pour les rituels qui se déroulaient en plein air devant les édifices.

**En haut** : vue d'ensemble de la zone archéologique avec la grande pyramide et les ruines d'autres bâtiments.

# Uxmál

**EN BREF**

**Situation**
80 km au sud-ouest de Mérida dans la péninsule du Yucatán au Mexique
**850-925**
Fin de la période maya classique et apogée d'Uxmál
**1000**
Invasion du Yucatán par les Toltèques
**vers 1450**
Abandon d'Uxmál
**1996**
Inscription au patrimoine mondial de l'Unesco

UXMÁL, NOM DE L'ANCIEN SITE MAYA CONSACRÉ AU DIEU DE LA PLUIE CHAC ET SITUÉ DANS LA PÉNINSULE DU YUCATÁN, SIGNIFIE « CONSTRUIT TROIS FOIS ». C'EST LÀ QUE SE TROUVE LA « PYRAMIDE DU DEVIN », LA PLUS IMPRESSIONNANTE DES NOMBREUSES PYRAMIDES MAYAS.

La ville maya d'Uxmál ne devint un centre florissant que relativement tard, aux IXe et Xe siècles. Ses vestiges restent à ce jour un exemple magistral du style puuc. Le terme *puuc* signifie « terrains vallonnés » et désigne la région de la chaîne de basses collines de la péninsule du Yucatán où les Mayas édifièrent leurs lieux de culte. Le fait qu'Uxmál ait été autrefois la capitale du Yucatán laisse entendre que la cité était immense. Bien que le nom *uxmál* signifie « construit trois fois », il semble que la ville ait en réalité été construite en tout cinq fois. Des céramiques découvertes sur place permettent de conclure que le site était déjà habité avant notre ère. Les ruines actuelles datent de la fin de l'époque classique maya, vers 850-925 ap. J.-C. L'édifice le plus mystérieux de la cité est la « pyramide du devin », ou « pyramide » du magicien. Sa forme ovale et ses pans extrêmement inclinés sont un cas unique parmi toutes les pyramides mayas du Yucatán. Le temple du dieu de la pluie Chac, dont les Mayas cherchaient à s'attirer les bonnes grâces en raison de la constante pénurie d'eau, est au sommet de la pyramide.

**Ci-dessous :** vue d'ensemble du vaste site – la pyramide du devin (au centre) et le long palais du gouverneur (à droite).

MEXIQUE

# Teotihuacán

TEOTIHUACÁN SIGNIFIE « CITÉ DES DIEUX » EN NAHUATL. LES AZTÈQUES DÉCOUVRIRENT CETTE VILLE, LA PLUS ANCIENNE DU CONTINENT AMÉRICAIN, CENTRE DE LA PREMIÈRE HAUTE CIVILISATION INDIENNE DU MEXIQUE, LORSQU'ILS PÉNÉTRÈRENT DANS LA HAUTE VALLÉE DU MEXIQUE AU XIVe SIÈCLE.

Des fouilles archéologiques ont révélé que Teotihuacán connut son apogée entre 100 et 600 ap. J.-C., alors que la ville était l'une des plus grandes de son époque. Les dates de fondation et de fin de Teotihuacán ne sont cependant pas connues : personne ne sait qui a fondé la ville, ni pourquoi elle fut abandonnée. On suppose qu'une grande sécheresse menaça la survie des habitants. D'autres hypothèses avancent que son déclin aurait été précipité par des causes religieuses. Des découvertes ont dévoilé que Teotihuacán avait été incendiée vers 700 ap. J.-C. Lorsque les Aztèques découvrirent la cité au XIVe siècle et décidèrent de l'utiliser comme lieu de culte, cette dernière était donc abandonnée depuis longtemps. Pour les Aztèques, Teotihuacán, comme son nom l'indique, était un lieu sacré où étaient organisées de nombreuses cérémonies en l'honneur des 13 dieux principaux et de plus de 200 dieux secondaires, célébrations au cours desquelles les sacrifices humains étaient courants.

**Une cité suivant le modèle cosmique.** L'ensemble du site de Teotihuacán est une représentation parfaite de la voûte céleste. L'ingénieur Hugh Harleston étudia les dimensions des bâtiments et leurs rapports les uns aux autres. Il calcula que les trajectoires de Mercure, Vénus,

**Ci-dessus :** des danseurs lors d'une cérémonie spirituelle suivant la tradition ancestrale.

**En haut, à droite :** détail de la pyramide de Quetzalcóatl avec ses têtes de serpent et autres sculptures.

la Terre, Mars, Jupiter, Saturne, et même de Neptune et Pluton – planètes qui ne furent pourtant découvertes qu'en 1846 et 1930 –, étaient exactement reproduites sur le site : Teotihuacán est une maquette précise de notre système solaire.

Les pyramides du Soleil, de la Lune et de Quetzalcóatl dominent le site. Teotihuacán est traversée sur son axe nord-sud par la « rue des morts » d'une longueur d'environ 3 km et bordée de pyramides et de cours fermées que l'on a longtemps pensé être des sépultures. On sait aujourd'hui que ce n'est pas le cas car les morts étaient incinérés à Teotihuacán. L'auteur suisse Erich von Däniken pense que cette voie est une sorte de piste d'atterrissage pour les extraterrestres. Selon sa théorie, des « dieux venant de l'univers » auraient inspiré l'aménagement de la ville, mais surtout la construction des pyramides.

**Ci-dessous :** photographie du site avec la longue « rue des morts » qui servirait notamment de piste d'atterrissage aux extraterrestres.

**EN BREF**

**Superficie :** 24 km$^2$

**Pyramide du Soleil**
**Dimensions :** 222 x 225 m
**Hauteur :** 63 m
Bâtie au Ier siècle ap. J.-C.

**Pyramide de la Lune**
**Dimensions :** 150 x 200 m
**Hauteur :** 48 m
Bâtie vers 100-350 ap. J.-C. en sept phases

**Pyramide de Quetzalcóatl**
À l'origine, un temple, puis transformé en pyramide ; le nom vient du serpent à plumes Quetzalcóatl, symbole du lien entre le ciel et la terre

**Page ci-contre :** vue aérienne de la grande pyramide du Soleil. Les proportions des bâtiments les uns par rapport aux autres correspondent à celles de notre système solaire.

MEXIQUE

# Monte Albán

LE SANCTUAIRE DE MONTE ALBÁN, CENTRE DU CULTE DU SOLEIL, FUT FONDÉ AU VIIe SIÈCLE AV. J.-C. DANS LA VALLÉE D'OAXACA AU SUD-OUEST DU MEXIQUE. EN MARGE DU CENTRE CÉRÉMONIEL, L'UNE DES PLUS GRANDES PLACES COMMERCIALES D'AMÉRIQUE CENTRALE SE DÉVELOPPA AUSSI À MONTE ALBÁN.

Monte Albán, la « montagne blanche », est l'une des plus anciennes colonies de peuplement d'Amérique centrale. Elle fut la capitale des Zapotèques jusqu'au IXe siècle. Le style des sculptures et des bas-reliefs de ce centre cultuel révèle cependant une forte influence olmèque. Les Olmèques étaient un peuple de l'âge du bronze, à qui l'on donne aussi le nom de « culture de La Venta ». Lorsque les Espagnols arrivèrent dans la vallée d'Oaxaca 2 000 ans plus tard, Monte Albán ne servait plus que de nécropole. Les impressionnantes sépultures de l'époque classique composées de plusieurs chambres avec des niches réservées aux offrandes votives et décorées pour certaines de fresques multicolores représentant des scènes mythologiques indiquent un culte des morts très développé.

**Le miracle de la lumière.** Les premiers seigneurs de la « montagne blanche » étaient sans doute des chamans : des chefs de tribu qui établirent habilement la religion du culte du soleil pour gouverner leur peuple et consolider la suprématie économique du site. Au sommet de la montagne, ils étaient proches des dieux, à qui ils devaient leur légitimité pour présider aux intérêts spirituels aussi bien qu'économiques du peuple. Le soleil était

**EN BREF**

**Vers 900-300 av. J.-C.**
Première occupation probable du site par les Olmèques
**300-900 ap. J.-C.**
Capitale des Zapotèques
**900-1250**
Aménagement des sépultures
**1250-1521**
Arrivée des Mixtèques
**1458**
Occupation par les Aztèques sous le règne de Montezuma Ier (1440-1469)
**1524**
Conquête de la vallée d'Oaxaca sous Hernán Cortés
**1987**
Inscription au patrimoine mondial de l'Unesco

**Page ci-contre :** le sommet du Monte Albán fut nivelé par les Zapotèques avant la construction du temple.

**Ci-contre :** ce bas-relief est le 55e des 150 *danzantes*, « danseurs ». Il s'agit sans doute de représentations de défunts qualifiés de « danseurs » à cause de leurs étranges contorsions.

le symbole du système gouvernemental du pays dirigé par les prêtres-chamans. L'observatoire, sans doute le plus ancien d'Amérique centrale, était un lieu sacré. Avec son inhabituelle forme en flèche et son plan pentagonal, il constituait une forme de calendrier solaire. On retrouve par ailleurs des symboles solaires en pierres sur tous les temples et toutes les places de Monte Albán. Compte tenu de la disposition particulière de l'observatoire, le soleil à son apogée se reflétait deux fois par an, le 8 mai et le 5 août, sur les quatre murs à l'intérieur du bâtiment. De grandes fêtes étaient célébrées à Monte Albán à ces périodes de l'année. La prévisibilité de ce miracle de la lumière démontrait au peuple le lien entre les prêtres et les dieux. L'attraction principale de cette fête du soleil était un jeu de balle, qui, contrairement à celui des Mayas, ne se terminait pas par le sacrifice des joueurs vaincus.

**Ci-dessous :** le terrain du jeu de balle. Contrairement aux Mayas, les Olmèques ne tuaient ni les perdants, ni le chef de l'équipe vaincue.

MEXIQUE

# Notre-Dame de Guadalupe

LA BASILIQUE NOTRE-DAME DE GUADALUPE À MEXICO EST LE PLUS GRAND LIEU DE CULTE MARIAL AU MONDE. CHAQUE ANNÉE, PLUS DE 20 MILLIONS DE PÈLERINS VIENNENT S'Y RECUEILLIR.

À peine 20 ans après la chute de l'Empire aztèque, 9 millions de personnes s'étaient déjà converties à la foi chrétienne. En 1531, Juan Diego, un homme de 57 ans converti au catholicisme et dont le nom de baptême était Quauhtlatoatzin, partit de chez lui pour se rendre à la messe. En chemin, il entendit une femme chanter et vit apparaître peu de temps après un nuage lumineux d'où sortaient des rayons. Une voix lui dit alors dans sa langue natale : « Je souhaite que l'on construise une église ici. Va voir l'évêque de Tenochtitlán et transmets-lui ma demande. » Diego se rendit alors jusqu'au palais de l'évêque Juan de Zumarraga pour lui exposer sa requête. Mais l'évêque hésita. D'origine espagnole, il n'avait pas confiance en l'Indien. La Vierge apparut ensuite une seconde fois à Juan Diego, mais, lors de sa deuxième visite à l'évêque, Zumarraga hésita de nouveau et exigea que Diego lui rapporte une preuve de l'apparition. Dépité, ce dernier prit néanmoins le chemin du retour. Lorsque la Vierge lui apparut une troisième fois, elle lui donna un bouquet de roses de Castille que Diego apporta à l'évêque. Elle « imprima » aussi son portrait sur la *tilma*, la tunique en fibre d'agave de Diego. Aujourd'hui, 478 ans plus tard, la *tilma* est intacte et le portrait de la

Guadalupe

**EN BREF**

**1474**
Naissance de Quauhtlatoatzin
**1492**
Découverte de l'Amérique par Christophe Colomb
**1514**
Construction de la première chapelle du Nouveau Monde
**1519**
Arrivée d'Hernán Cortés au Mexique
**1521**
Chute de l'Empire aztèque
**1525**
Baptême de Quauhtlatoatzin, qui prend le nom de Juan Diego
**1531**
Apparition de la Vierge à Diego
**1548**
Mort de Diego
**1746**
Marie devient la sainte patronne de l'Amérique latine
**2002**
Canonisation de Juan Diego par le pape Jean-Paul II

**Page ci-contre :** les fondations de l'ancienne basilique s'étant enfoncées au fil du temps, une nouvelle église a dû être construite.

**Ci-contre :** un fidèle pose la main sur le portrait de la madone de Guadalupe.

Vierge est toujours visible. Ces signes firent entendre raison à l'évêque et, deux ans plus tard, une première chapelle fut édifiée à l'endroit de l'apparition. On posa la première pierre de la basilique de pèlerinage en 1695, et cette dernière fut achevée en 1709.

**La plus grande messe de l'histoire.** En raison de la forte activité sismique qui règne dans la ville de Mexico et les alentours, les fondations de la basilique se sont profondément enfoncées dans le sol au fil du temps. Du fait du danger d'effondrement, le monument a finalement dû être fermé. Une nouvelle basilique a cependant été construite juste à côté de l'ancienne. Il s'agit d'un imposant et spacieux édifice circulaire d'un diamètre de 100 m pouvant accueillir jusqu'à 50 000 personnes. Sept portes permettent de pénétrer dans le lieu de culte et symbolisent les sept portes de la Jérusalem céleste dont parlait Jésus.

La liste des miracles et des guérisons ayant eu lieu au cours de l'histoire est longue et a fait de Guadalupe l'un des sites de pèlerinage les plus visités de la chrétienté. Le 30 juillet 2002, Juan Diego fut canonisé par le pape Jean-Paul II pendant la plus grande messe de l'histoire de l'humanité.

**Ci-contre :** la Vierge Marie joue un rôle important pour les indigènes catholiques du Mexique. Ils lui dédient leurs danses le 11 décembre de chaque année.

PÉROU

# Géoglyphes de Nazca

EN 1927, D'IMMENSES DESSINS ONT ÉTÉ DÉCOUVERTS SUR LE SOL DANS LA PAMPA COLORADA LORS D'UN SURVOL DE LA RÉGION. CES GÉOGLYPHES QUI S'ÉTENDENT SUR PLUSIEURS KILOMÈTRES ONT ÉTÉ RÉALISÉS PAR LES INDIENS NAZCA ET SERVAIENT PROBABLEMENT À DES FINS SACRÉES ET CULTUELLES.

Les Indiens nazca, qui s'étaient installés entre le IIe siècle avant notre ère et le VIe siècle ap. J.-C. dans la Pampa Colorada, le désert rouge situé dans l'ouest du Pérou, connurent leur apogée il y a plus de 2 000 ans. Ils avaient déblayé et nivelé le sol rouge noirâtre et oxydé des Andes pour faire apparaître la terre ocre qui se trouvait en dessous afin de former d'immenses géoglyphes, c'est-à-dire de grands dessins à même le sol. Des sépultures, des lieux de culte et des ruines d'habitations ont été découverts à proximité de ces figures. On présume qu'il fallut plusieurs générations et de très nombreuses personnes pour tracer ces gigantesques dessins. Il reste néanmoins surprenant que ces géoglyphes aient pu subsister si longtemps et résister aux outrages de la nature. C'est pour beaucoup une énigme aussi mystérieuse que les tracés eux-mêmes. Le désert situé entre le Pacifique et les Andes ne subit apparemment presque pas d'érosion et aurait donc été choisi idéalement en son temps pour ce type de représentation sacrée.

Les figures représentent entre autres un singe, un condor, un homme avec une tête ronde (appelé l'astronaute), une araignée, un colibri, des mains, des arbres. Quelle est leur signification ?

**Un centre rituel pour l'immortalité de l'âme.** Les chercheurs qui étudient les lignes de Nazca ont toujours eu le plus grand mal à expliquer comment ces immenses figures avaient pu être réalisées à une date aussi ancienne, sans l'appui des techniques modernes. Peu de temps après la découverte du site, ils évoquèrent donc l'hypothèse que ces lignes avaient été tracées par des êtres extraterrestres ou des civilisations ou espèces plus avancées. La théorie la plus célèbre concernant la création du site a été proposée par le suisse Erich von Däniken, qui pensait que les tracés avaient été réalisés par des astronautes préhistoriques pour leur servir de pistes d'atterrissage. L'Américain Jim Woodman émit un autre postulat selon lequel les Indiens nazca auraient utilisé des sortes de ballons cérémoniels pour survoler ces dessins cultuels, qui étaient leurs sanctuaires. Néanmoins, sa tentative de construction d'un ballon avec les matériaux de l'époque échoua : le ballon s'écrasa. L'Américain Joe Nickell essaya de démontrer que les Nazca étaient tout à fait en mesure de dessiner des figures de cette taille avec les outils à leur disposition. Pour lui, il s'agissait de sanctuaires destinés à invoquer et à glorifier les dieux, d'ornements de lieux sacrés censés ouvrir aux défunts la voie vers l'immortalité de l'âme.

**Page ci-contre :** ce géoglyphe connu sous le nom de « colibri » mesure 93 m de longueur.

**Ci-dessus :** dépouilles datant de 500 ans dans le cimetière de Chauchilla près des lignes de Nazca au Pérou.

**EN BREF**

**Création :**
entre le VIe siècle
et le Ier siècle av. J.-C.
**Superficie :**
environ 89 km$^2$
1 500 géoglyphes enregistrés et mesurés, dont 639 ont été décrits, classés et étudiés d'un point de vue archéologique
**Depuis 1994**
Inscription au patrimoine mondial de l'Unesco sous le nom de « Lignes et géoglyphes de Nazca et de Pampas de Jumana »

**À gauche :** on stockait l'eau pour l'aride plateau de Nazca dans ces trous en spirale creusés dans le sol.

**Ci-contre :** « l'araignée » mesure environ 50 m de longueur ; il s'agit d'une araignée Ricinulei qui n'existe que dans l'Amazonie.

PÉROU

# Machu Picchu

LA CITÉ INCA ANTIQUE DE MACHU PICCHU EST NICHÉE ENTRE LES SOMMETS DES ANDES À 2 450 M D'ALTITUDE. LE CULTE SOLAIRE OCCUPAIT UNE PLACE CENTRALE DANS LA RELIGION DES INCAS ET L'ENDROIT LE PLUS SACRÉ DE LA CITÉ ÉTAIT APPELÉ « LE LIEU OÙ S'ATTACHE LE SOLEIL ».

Alors qu'il recherchait Vilcabamba, censée être la dernière ville inca, l'archéologue américain Hiram Bingham découvrit en 1911 les ruines de la cité perdue de Machu Picchu. Telle une forteresse imprenable, cette dernière était posée entre les pitons du Huayna Picchu, « le jeune pic », et du Machu Picchu, « le vieux pic ». On attribue en général le site aux Incas, mais ces derniers affirmaient avoir eux-mêmes découvert à cet endroit une cité en ruines dont les constructeurs leur étaient inconnus. Dans la religion inca, le sanctuaire le plus important est le « lieu où s'attache le Soleil ». Il convenait donc tout à fait à leur imaginaire religieux d'avoir trouvé ce site tout prêt, comme s'il avait été construit par les dieux.

Machu Picchu

**La demeure des femmes élues.** On ne connaît à ce jour toujours pas avec certitude la fonction de ce site. Hiram Bingham pensait à tort que la cité avait été le dernier refuge des Incas. Cependant, on a retrouvé beaucoup plus de squelettes de femmes que d'hommes datant de l'époque inca, ce qui laisse supposer que la cité aurait été une *Aclla Huasi*, une « demeure des femmes élues ». Ce site est cependant surtout considéré comme un centre de culte associé à des observations astronomiques. Une partie de Machu Picchu était un quartier résidentiel, le

**EN BREF**

**1200-1532**
Apogée de l'Empire inca
**XV^e siècle**
Construction de Machu Picchu
**1911**
Expédition d'Hiram Bingham à la recherche de Vilcabamba, découverte de Machu Picchu
**1934, 1940**
Autres expéditions
**1983**
Inscription au patrimoine mondial de l'Unesco

**Page ci-contre :** la ville s'étend sur un promontoire rocheux situé entre « le jeune pic » et « l'ancien pic », le Machu Picchu.

**Ci-contre :** ces petites maisons modestes dotées de fenêtres font partie du « quartier des tailleurs de pierre », c'est sans doute là qu'habitaient les artisans de la ville.

reste un centre religieux et cérémoniel. Le temple principal, le temple du Soleil, l'Intihuatana, l'horloge solaire des Incas ainsi que le Torreón, une grande tour circulaire, se trouvent dans le quartier à usage rituel.

**Les fils du Soleil.** Les Incas se présentaient comme les descendants directs du dieu du Soleil Inti, d'où leur nom – *inca* signifie en effet « fils du Soleil ». Le héros légendaire de leur civilisation et fondateur de la dynastie, Manco Cápac, descendait selon eux directement du Soleil. D'après leur mythologie, ce premier fils du Soleil et sa sœur Mama Occlo auraient été envoyés par leur père Inti sur l'île du Soleil dans le lac Titicaca. Ils avaient pour mission de civiliser le monde. Inti leur donna un bâton en or et leur dit de s'installer à l'endroit où ils pourraient l'enfoncer dans le sol. Selon la légende, ils fondèrent vers 1200 la ville de Qusqu (Cuzco), le « nombril du monde ».

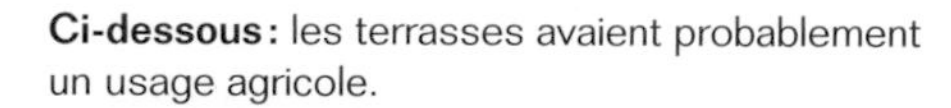

**Ci-dessous :** les terrasses avaient probablement un usage agricole.

PÉROU

# Cuzco

SOUS LE ROI INCA PACHACÚTEC, LE PETIT VILLAGE DE CUZCO, SITUÉ DANS LES HAUTEURS DES ANDES, DEVINT UNE CITÉ PUISSANTE AUX ATTRIBUTIONS RELIGIEUSES ET ADMINISTRATIVES DE PREMIER ORDRE ET OÙ SE TROUVAIT LE TEMPLE DU SOLEIL, LE PREMIER SANCTUAIRE DU ROYAUME INCA.

La ville de Cuzco, autrefois capitale de l'Empire inca, connue comme le « nombril du monde », se trouve aujourd'hui encore à 3 500 m d'altitude, à la confluence des fleuves Chunchullmayo, Tullumayo et Huatanay. En 1533, Francisco Pizarro (1476-1541), conquérant du Pérou, réussit à prendre la ville sans recourir ou presque à la violence. Celle-ci était en plein apogée lorsque les conquistadors s'en emparèrent. Trois ans plus tard, en 1536, la plupart des bâtiments furent réduits en cendres pendant le siège de l'Inca Manco Cápac II, qui avait été installé au pouvoir par les Espagnols. Ces derniers ne poursuivirent cependant pas leur œuvre de destruction et conservèrent la structure de base de la ville ainsi que ses murailles. Ils édifièrent ensuite des églises et des palais baroques sur les ruines de la cité, et en particulier celles des sanctuaires « païens » des Incas. En 1950, de nombreux bâtiments de Cuzco furent détruits par un tremblement de terre, mais les fondations datant de l'époque inca résistèrent aux secousses. Le séisme dégagea en outre des murs jusqu'alors inconnus. À son apogée, Cuzco était une grande ville : on suppose que 20 000 personnes environ vivaient à l'intérieur de la cité, 50 000 autres à la périphérie et 80 000 dans la région de la haute vallée.

**EN BREF**

**1438-1493**
Sous Pachacútec Yupanqui et Túpac Yupanqui : apogée de la capitale des Incas
**15 novembre 1533**
Conquête de la ville par Francisco Pizarro
**23 mars 1534**
Fondation de la Cuzco espagnole
**Après 1544**
Transfert de la capitale du vice-royaume espagnol à Lima
**1781**
Première révolte contre le pouvoir colonial espagnol
**1814**
Seconde révolte contre la domination espagnole
**1824**
Fin de la colonisation espagnole en Amérique latine
**1983**
Inscription au patrimoine mondial de l'Unesco

**Page ci-contre :** les Incas donnèrent le nom de « pierres dodécagonales » aux monolithes avec lesquels ils construisirent des murs si épais qu'aucun séisme ne put les détruire.

**Ci-contre :** des statues de la Vierge provenant des églises de Cuzco sont transportées dans la ville pendant la procession de la Fête-Dieu.

**Le site le plus sacré du royaume inca.** Huacapayta, la « place d'Armes », partageait la ville haute, Hanan Cuzco, de la ville basse, Hurin Cuzco, et servait de place des fêtes lors des cérémonies. Le lieu le plus sacré de la ville et de tout le royaume inca était cependant le Coricancha, le temple du Soleil, où se déroulaient tous les rites les plus importants. Les Incas ne pouvaient entrer dans le temple qu'à jeun, pieds nus et, signe d'humilité, en portant une charge sur le dos. En plus du célèbre disque solaire en or – un visage humain rond, entouré de rayons et de langues de feu –, les Incas avaient placé à l'intérieur du temple les corps momifiés de leurs anciens empereurs arborant des masques dorés, auxquels ils apportaient rituellement des aliments et des boissons. De chaque côté du disque solaire se dressaient deux statues de lions, têtes tournées vers le disque solaire. Ce dernier, somptueusement orné de turquoises et d'émeraudes, était placé de sorte que les rayons du soleil levant s'y reflètent. Identifiant le Coricancha comme le site le plus sacré du royaume inca, les conquistadors espagnols le détruisirent et édifièrent une église avec un couvent sur ses ruines.

**Ci-dessous :** les Espagnols bâtirent leur église sur les ruines du Coricancha, le temple du Soleil.

BOLIVIE

# Tiahuanaco

TIAHUANACO ÉTAIT LE CENTRE RELIGIEUX DE LA CIVILISATION PRÉ-INCA DU LAC TITICACA QUI Y VÉNÉRAIT LE DIEU CRÉATEUR VIRACOCHA. LE VASTE ENSEMBLE DE VESTIGES EST RESTÉ UN LIEU DE PÈLERINAGE AU FIL DES SIÈCLES.

Au début de son histoire, vers le IVe siècle de notre ère, Tiahuanaco se trouvait au bord du lac Titicaca. Or, avec l'évaporation, le niveau du lac a tellement diminué que les ruines du site se situent aujourd'hui à environ 20 km de ses rives. À son apogée, Tiahuanaco dominait la région allant du Pacifique à l'actuelle Argentine en passant par la région d'Atacama au Chili. Pour les Incas, c'était le lieu où le dieu-créateur Viracocha était sorti des profondeurs du lac et où on lui rendait un culte. Viracocha était le créateur, mais aussi le destructeur du monde ; d'après la mythologie inca, il fit disparaître tous les êtres vivants autour du lac, à l'exception de deux personnes, dans un déluge. Pendant son âge d'or, la cité comptait plus de 20 000 habitants sur une superficie de 2,6 km². En 1200, lorsqu'ils occupèrent la région, les Incas la trouvèrent désertée – les premiers habitants avaient quitté la ville pour des raisons inconnues. Leur civilisation perdura cependant grâce aux Incas, car ceux-ci croyaient que Viracocha lui-même avait fondé la ville et qu'il régnait sur le monde depuis cet endroit. Cette croyance fit de Tiahuanaco un important centre de pèlerinage qui subsista pendant des siècles après la chute de l'Empire.

Tiahuanaco

**Page ci-contre :** la porte du Soleil de l'ancien temple du Kalasasaya pèse 12 t.

**Ci-contre :** des têtes sculptées ont été mises au jour sur les murs de ce temple semi-enterré.

**La porte du Soleil.** Le bâtiment le plus impressionnant de la ville était l'ancien temple du Kalasasaya, avec sa porte du Soleil. Sculptée dans un seul bloc de pierre, cette porte pèse environ 12 t. Son linteau est orné d'une frise qui représente une divinité portant deux sceptres en forme de serpent et dont la tête est ceinte d'une coiffe à rayons – il s'agit sans doute du dieu-créateur ou du dieu-soleil. D'autres spécialistes pensent que les trois lignes de personnages ailés surmontant une rangée de signes représentent un calendrier. Le 21 juin, jour du solstice d'hiver dans l'hémisphère Sud, on célèbre le nouvel an aymara à Tiahuanaco. Plus de 5 000 personnes venues du monde entier, dont de nombreux adeptes des courants ésotériques, se réunissent pour voir le soleil se lever à travers la porte du Soleil.

**Le déclin.** Depuis l'arrivée des Espagnols, qui, alors qu'ils recherchaient l'Eldorado, apprirent au XVIe siècle l'existence d'une cité légendaire par des légendes indigènes, les trésors de Tiahuanaco ont été dispersés dans le monde entier. L'or fut emporté en guise de butin et fondu. D'innombrables objets de culte, notamment les grandes stèles en pierre, furent détruits par les fanatiques catholiques qui les considéraient comme des artefacts païens. D'autres statues furent vendues par l'Église ou utilisées pour ses propres constructions.

## EN BREF

**Situation :** 20 km au sud du lac Titicaca en Bolivie, 4 000 m au-dessus du niveau de la mer

**300-700 ap. J.-C.**
Période classique, grandes structures en pierres, or, bronze

**700-1200 ap. J.-C.**
Déclin, céramiques simples, pratiquement plus de bâtiments

**à partir de 1200 jusqu'au XVIe siècle**
Lieu de culte des Incas

**2000**
Inscription au patrimoine mondial de l'Unesco

**Ci-contre :** les pèlerins viennent encore dans ce sanctuaire aujourd'hui pour faire leurs offrandes.

CHILI

# Moai de l'île de Pâques

LE DIMANCHE DE PÂQUES DE L'ANNÉE 1722, LE NAVIRE DE JACOB ROGGEVEEN ACCOSTA SUR UNE ÎLE INCONNUE DES MERS DU SUD OÙ PLUS DE 1 000 STATUES GIGANTESQUES SUBJUGUÈRENT ET TERRIFIÈRENT LES MARINS.

Lorsque l'astronome, mathématicien et navigateur hollandais Jacob Roggeveen (1659-1729) accosta le 5 avril 1722, un dimanche de Pâques, sur une île jusqu'alors inconnue, ses habitants avaient vécu plus de 1 000 ans sans aucun contact avec d'autres peuples. La société de cette île, que les indigènes appelaient Rapa Nui, le « nombril du monde », était organisée en différents clans. Dès qu'ils posèrent pied à terre, les marins furent fascinés par les quelque 1 000 colosses de pierre, vestiges d'un culte des ancêtres qui avait débuté dès 400 ap. J.-C., lorsque les habitants de l'île commencèrent à aménager les *ahu*, de grandes plates-formes en pierre, lieux de sépulture en plein air. Les corps des défunts étaient exposés sur les *ahu* jusqu'à ce que les oiseaux, les insectes et le vent aient nettoyé les os et qu'il ne reste plus que les squelettes. On enterrait ensuite les ossements à l'intérieur de l'*ahu*, on célébrait une fête en l'honneur du défunt, puis on édifiait en souvenir de l'ancêtre désormais divinisé une statue en pierre sculptée à l'aide de burins et de pics en pierre dans la roche du volcan Rano Raraku. La plupart représentait des hommes à la tête stylisée et possédant de longs lobes d'oreilles, certains portaient des coiffes. De nombreuses sculptures arboraient des ornements corporels représentant des

**EN BREF**

**Superficie :**
162,5 km²
**Vers 380**
Vraisemblable occupation polynésienne
Statues de pierre (*moai*) en tuf : jusqu'à 10 m de hauteur pour 150 t
**1774**
Accostage du capitaine James Cook
**1864**
Découverte du manuscrit de Rongorongo, seule langue écrite d'Océanie
**1888**
Annexion par le Chili
**1955-1956**
Expédition archéologique norvégienne dirigée par Thor Heyerdahl
**1995**
Inscription au patrimoine mondial de l'Unesco

**Ci-contre :** les colossales statues de pierre et les ornements qu'elles portent ont été réalisés avec des burins et des pics en pierre.

tatouages. Les *moai*, nom donné à ces statues, veillent sur l'île et ses habitants.

**Le déclin du culte des ancêtres.** Le transport des colosses de pierre et le besoin pressant en bois entraînèrent cependant une diminution considérable du nombre d'arbres sur l'île. Sans arbre, la vie devint difficile, la terre se dessécha et devint stérile, le cannibalisme se développa – on dévorait les femmes et les enfants des ennemis. La population abandonna même ses sanctuaires, les *ahu*, qui furent en partie détruits lors d'affrontements, et les statues furent renversées. Les adversaires les plus redoutables furent cependant les souverains colonialistes avides de terres : en 1862, les Péruviens déportèrent tous les hommes et femmes de l'île en âge de travailler pour les employer comme esclaves dans leurs mines ; ceux qui revinrent introduisirent des épidémies sur l'île. À la fin du XIXe siècle, il ne restait plus que quelques statues, mais les chrétiens les détruisirent car ils les considéraient comme des « œuvres païennes ». À cette époque, l'île comptait encore 110 habitants et l'on utilisa finalement cette terre en pâturages et comme colonie de lépreux. Comme les arbres avant lui, le culte sacré des ancêtres disparut.

**En haut et ci-contre :** on n'a compris que récemment que les *moai* étaient disposés suivant un modèle astrologique.

BRÉSIL

# Conceição Aparecida

LE SITE D'APARECIDA FUT FONDÉ EN 1717 LORSQUE DES PÊCHEURS SORTIRENT UNE STATUE DE LA VIERGE D'UN FLEUVE. LA SAINTE VIERGE D'APARECIDA DEVINT LA SAINTE PATRONNE DU BRÉSIL ET SA BASILIQUE EST AUJOURD'HUI LE LIEU DE PÈLERINAGE LE PLUS IMPORTANT DU PAYS.

En octobre 1717, alors qu'ils pêchaient dans le rio Paraíba au Brésil, trois hommes remontèrent dans leurs filets une statue en terre cuite d'environ 36 cm : il s'agissait d'une Vierge sans tête. Lorsqu'ils sortirent leurs filets de l'eau pour la seconde fois, ils découvrirent la tête de la statue. Ce jour-là, ils firent une pêche si miraculeuse que leur embarcation menaça de sombrer. Effrayés, ils se hâtèrent de rentrer au port. Voici la première version de la légende concernant la découverte de la statuette. D'après une autre légende, la statuette aurait été sculptée vers 1650 par Frey Agostino de Jesús, un moine originaire de São Paulo, et aurait coulé dans le fleuve dans des circonstances inconnues avant d'être retrouvée par trois pêcheurs en 1717. La statuette avait été décolorée par son séjour sous l'eau ; lorsqu'on la découvrit, était brun foncé et luisante.

Conceição Aparecida

En 1843, la première chapelle qui avait été édifiée dès 1745 au centre de la ville fut remplacée par une basilique plus vaste pour accueillir une foule de pèlerins toujours plus grande, attirée par les présumés pouvoirs miraculeux de la statuette. En 1888, la dernière princesse royale du Brésil, Isabella (1846-1921), offrit à la statue une cape en broderie délicate qui ne laisse apparaître que le visage

**EN BREF**

**Nouvelle basilique :**
**Longueur :** 173 m
**Largeur :** 168 m
**Hauteur de la coupole :** 70 m
**Hauteur du clocher :** 105 m
**Capacité d'accueil :** 45 000 personnes

**Page ci-contre :** la nouvelle basilique fut dessinée par le peintre et architecte Benedito Calixto.

**Ci-contre :** en 1888, la dernière princesse royale du Brésil, Isabella, offrit à la statuette sa cape et sa couronne.

de la Vierge et ses mains jointes sur sa poitrine, ainsi qu'une couronne sertie de pierres précieuses. Le pape Pie X la couronna reine du Brésil en 1904 et le pape Pie XII la consacra sainte patronne du pays le 12 octobre, jour de sa fête et aujourd'hui fête nationale du Brésil. La statue fut brisée lors d'un attentat en 1979, mais elle put être restaurée.

**La plus grande église consacrée à la Vierge du monde.** L'ancienne basilique Notre-Dame d'Aparecida, ou Notre-Dame de l'Apparition, fut agrandie et rénovée plusieurs fois au cours de son histoire. Or, en raison des foules de pèlerins qui visitent ce lieu de pèlerinage majeur, un autre édifice a dû être construit. La nouvelle basilique fut conçue en 1955 par le peintre et architecte Benedito Calixto. Le pape Jean-Paul II consacra cette église, la plus grande église Notre-Dame et troisième plus grande église du monde après la basilique Saint-Pierre de Rome et la cathédrale de Yamoussoukro en Côte d'Ivoire, en 1980 alors qu'elle était encore en construction. Avec 8 millions de pèlerins par an, cette basilique est aujourd'hui le troisième lieu de pèlerinage le plus visité du monde.

**Ci-dessous :** la nouvelle basilique construite en 1955 peut aujourd'hui accueillir 45 000 personnes.

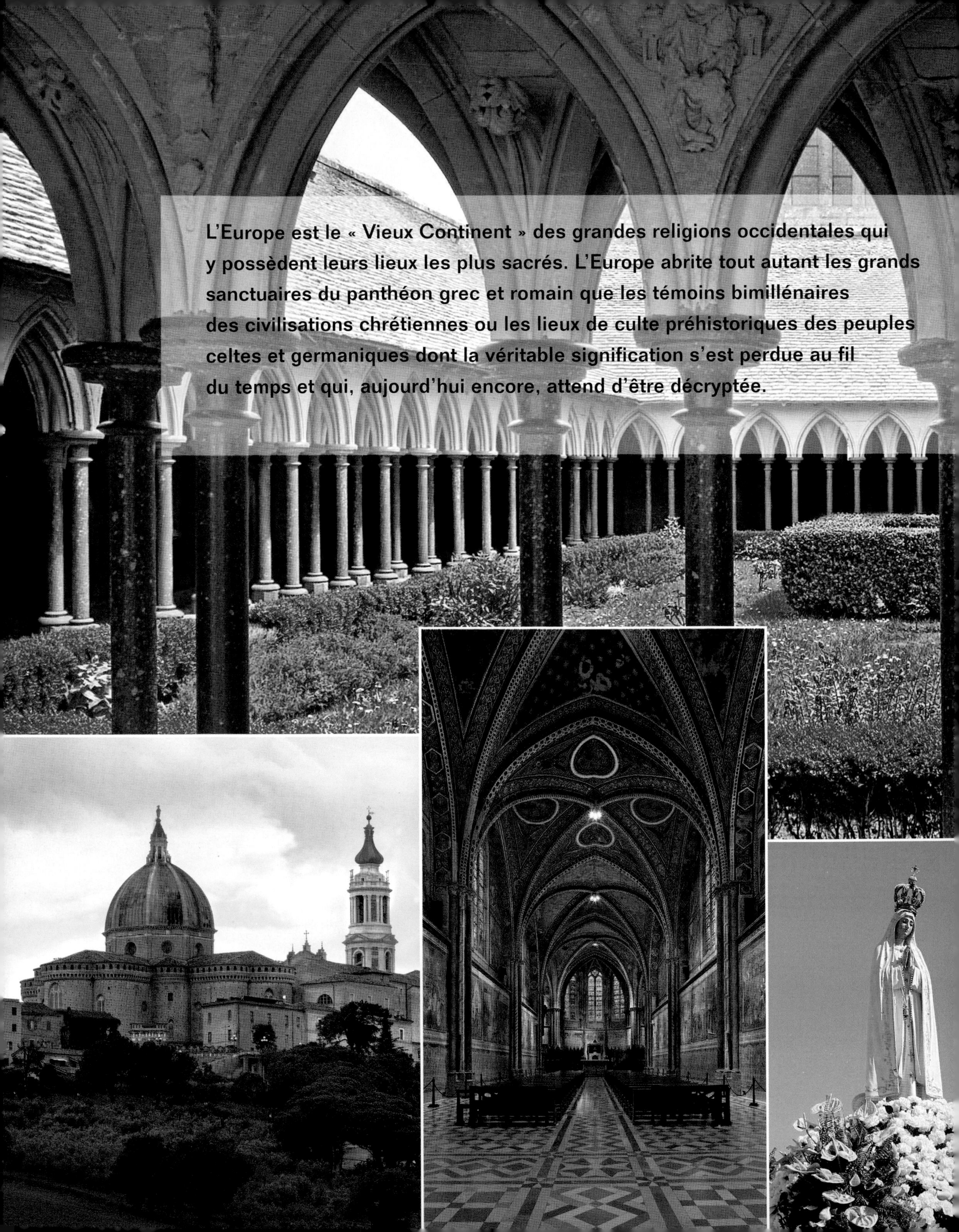

L’Europe est le « Vieux Continent » des grandes religions occidentales qui y possèdent leurs lieux les plus sacrés. L’Europe abrite tout autant les grands sanctuaires du panthéon grec et romain que les témoins bimillénaires des civilisations chrétiennes ou les lieux de culte préhistoriques des peuples celtes et germaniques dont la véritable signification s’est perdue au fil du temps et qui, aujourd’hui encore, attend d’être décryptée.

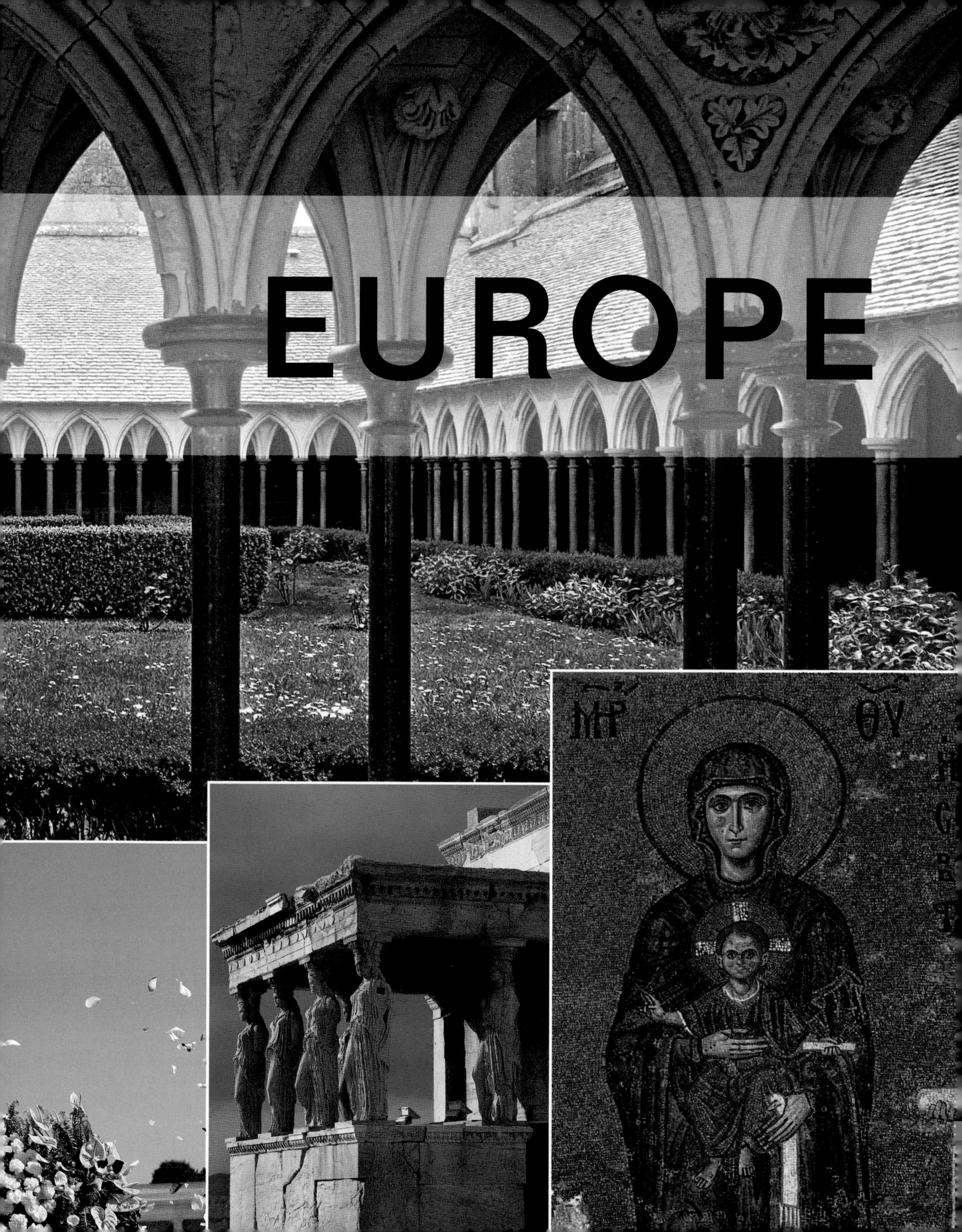
EUROPE

IRLANDE

# Newgrange

NEWGRANGE, SÉPULTURE, TEMPLE ET LIEU DE CULTE ASTROLOGIQUE DONT LE NOM IRLANDAIS *AN LIAMH GREINE* SIGNIFIE LITTÉRALEMENT « GROTTE DU SOLEIL », FUT ÉDIFIÉ IL Y A PLUS DE 3 000 ANS SUR LES TERRES DE L'ACTUELLE IRLANDE.

Le tombeau mégalithique de Newgrange fut aménagé à l'âge du bronze, il y a environ 3 200 ans. Il est donc plus ancien que les pyramides de Gizeh ou que Stonehenge. La colline en forme de haricot s'étend sur plus de 4 000 m², possède un diamètre d'environ 70 m et est entourée de 97 mégalithes, dont la plupart sont recouverts de symboles. Un couloir de 19 m de longueur mène à une chambre cruciforme surmontée d'une voûte en encorbellement de 7 m d'épaisseur qui est encore étanche aujourd'hui. On estime que la construction de cette tombe en couloir requerrait le travail de 300 ouvriers pendant une vingtaine d'années.

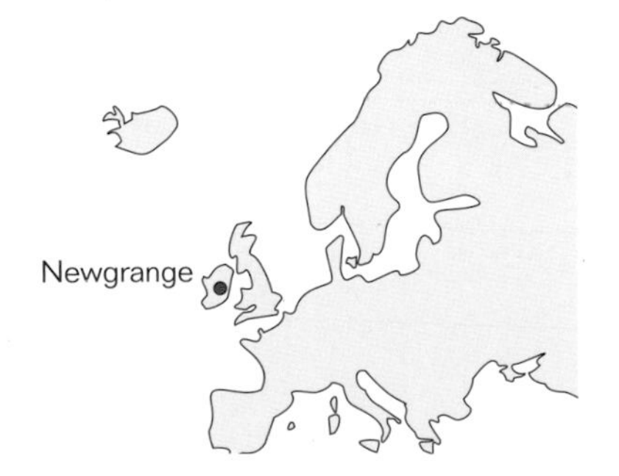


**La grotte du Soleil.** Pendant environ une semaine avant et après le solstice d'hiver, le 21 décembre de chaque année, le soleil pénètre à l'intérieur du temple par une imposte située au-dessus de l'entrée et poursuit sa trajectoire pendant 15 minutes le long d'un couloir d'environ 19 m jusqu'à atteindre une pierre ornée de spirales. Ces dessins ne sont pas le fruit du hasard et demandent à être interprétés : les spirales sont considérées comme des symboles de la renaissance et du dieu-soleil masculin. Les rayons du dieu-soleil pénètrent ainsi dans le sein de la terre-mère, la grotte du Soleil, et la fécondent. Il semble

**EN BREF**

**1699**
Découverte par hasard du lieu de sépulture
**1962**
Début des fouilles systématiques
**1975**
Fin de la reconstruction du site
**1993**
Inscription au patrimoine mondial de l'Unesco

que le site de Newgrange ait été entièrement aménagé en fonction de la trajectoire du soleil et qu'il servait à son culte. En revanche, on ne sait toujours pas qui furent ses constructeurs, ni quoi que ce soit sur le peuple qui célébrait ce « culte solaire ».

**Le solstice d'hiver.** L'hiver a toujours été une saison difficile, les hommes sont donc soulagés et reconnaissants au moment du solstice. Le solstice d'hiver, la plus longue nuit de l'année, revêtait une importance particulière car il marque l'espoir, un nouveau départ et la renaissance de la nature, mais aussi et surtout il annonce des nuits plus courtes et par conséquent moins d'obscurité. Dans presque toutes les cultures, l'année commence dans l'obscurité et poursuit sa course jusqu'à l'apogée de la lumière avant de replonger dans les ténèbres de l'hiver. La plupart des fêtes des grands peuples civilisés débutaient au coucher du soleil, c'est-à-dire dans l'obscurité. On satisfaisait ainsi aux exigences de la nature puisque même l'existence humaine commence dans l'obscurité du giron maternel.

**En haut, à gauche :** on a longtemps pensé que le tumulus était une colline naturelle, jusqu'à ce que sa fonction soit découverte par hasard en 1699.

**En haut, à droite :** l'actuelle entrée avec l'imposte laissant pénétrer la lumière fut conçue en 1972 par Michael O'Kelly, qui dirigea les travaux de restauration.

**Ci-contre :** ce couloir éclairé à l'intérieur du tumulus mène à une chambre voûtée en forme de croix.

IRLANDE

# Lough Derg

LOUGH DERG, LE LAC ROUGE, SE TROUVE AU NORD-OUEST DE L'IRLANDE. SAINT PATRICK Y JEÛNA SUR LA PETITE ÎLE DE STATION ISLAND PENDANT 40 JOURS AU COURS DESQUELS IL AURAIT EU UNE VISION DE L'ENFER.

**EN BREF**

**Vers 1180**
Rapports de miracles ayant eu lieu dans ce célèbre lieu de pèlerinage
**1600**
Premiers récits de femmes pèlerins
**1704**
Une loi interdit le pèlerinage sous peine de flagellation sur la place publique
**1790**
Comblement de la grotte et édification d'une chapelle
**1846**
Plus de 30 000 pèlerins

Deux écrits de saint Patrick rendent compte du personnage remarquable qu'il était. Cet homme est l'un des rares missionnaires à s'être consacré à la conversion des païens en dehors de l'Empire romain. Il vécut et œuvra en Irlande pendant la seconde moitié du v$^{e}$ siècle. Le culte du saint patron de l'Irlande était déjà très développé au VII$^{e}$ siècle. Au XII$^{e}$ siècle, le pèlerinage en l'honneur de saint Patrick se concentrait sur ce que l'on appellerait plus tard « *Saint Patrick's Purgatory* » (« le Purgatoire de saint Patrick ») situé une petite île du lac Rouge. Les pèlerins s'y rendaient pour demander la rémission de leurs péchés. On pensait que l'entrée de l'inframonde se trouvait dans l'une des grottes de l'île. Les premières descriptions de ce lieu de pèlerinage devenu célèbre grâce à des apparitions mystérieuses (visions de l'au-delà) datent du Moyen Âge. La grotte représentait symboliquement la mort et le purgatoire. Le fait de survivre au purgatoire et de revenir sur Terre était perçu comme une sorte de renaissance spirituelle du croyant. Aujourd'hui, passer une nuit à prier et à jeûner dans l'église équivaut à faire cette descente.

**En haut :** Lough Derg et la petite île de Station Island sont depuis le Moyen Âge un lieu de pèlerinage important en l'honneur de saint Patrick.

# Croagh Patrick

L'ACTUEL CULTE RENDU À SAINT PATRICK CULMINE AVEC LE PÈLERINAGE À CROAGH PATRICK, UNE MONTAGNE DE L'OUEST DE L'IRLANDE, NON LOIN DE LA VILLE DE WESTPORT. CHAQUE ANNÉE, ENVIRON UN MILLION DE PÈLERINS S'Y REND POUR FAIRE PÉNITENCE.

Croagh Patrick, ou Cruach Phadraig en irlandais, était déjà, et ce bien avant la christianisation de l'Irlande, un lieu sacré pour les Celtes. Ces derniers y voyaient la demeure de Crom Dubh, le dieu de la fertilité. Chaque année, le 1er août, on y célébrait Lughnasa, la fête des moissons : hommes et femmes passaient la nuit sur la montagne pour accroître leur fécondité.

Pendant la phase d'évangélisation du pays, saint Patrick aurait gravi cette montagne et, après avoir passé 40 jours et 40 nuits à jeûner, il aurait chassé tous les démons d'Irlande. Il accusa Crom Dubh, que l'on vénérait ici, d'être « sombre » et « malveillant » ; suivant la tradition chrétienne, il damna les divinités païennes et en fit des démons pour célébrer sa victoire. La montagne devint un lieu de pèlerinage important peu de temps après le séjour de Patrick.

Chaque année, le dernier dimanche du mois de juillet, ou « Reek Sunday », environ 30 000 pèlerins viennent ici à pied pour faire pénitence – ils sont nombreux à marcher pieds nus, voire à genoux. Le chemin, qui commence dans le petit village de Mussisk, comprend trois stations où il convient d'effectuer certains rituels et prières.

**Ci-dessus :** pèlerins autour de la statue de saint Patrick, première station du pèlerinage menant au sommet de la montagne.

**Ci-contre :** vue sur Croagh Patrick, en arrière-plan les paysages du comté de Mayo.

**EN BREF**

**Altitude :** 640 m et 764 m au-dessus du niveau de la mer
**441 ap. J.-C.**
Saint Patrick gravit Croagh Patrick
**1905**
Construction d'une chapelle au sommet de la montagne
**1928**
Statue de saint Patrick au pied de la montagne

Ci-dessus : l'érection des immenses monolithes et le positionnement des linteaux suscitent à eux seuls l'admiration.

ANGLETERRE

# Stonehenge

AMÉNAGÉ AU NÉOLITHIQUE ET SANS DOUTE UTILISÉ À DES FINS CULTUELLES JUSQU'À L'ÂGE DU BRONZE, LE SITE DES « PIERRES SUSPENDUES » EST AUJOURD'HUI ENCORE L'UN DES PLUS GRANDS LIEUX SACRÉS DU MONDE.

**EN BREF**

**Phase primitive, vers 3100 av. J.-C.**
Aménagement du site avec des murs en terre circulaires et des sépultures
**2e phase, vers 2500-2000 av. J.-C.**
Grande structure mégalithique
**3e phase, vers 1700 av. J.-C.**
Apparition de deux cercles supplémentaires avec des ouvertures à l'extérieur du cercle de pierres
**depuis 1918**
Propriété de l'État
**1986**
Inscription au patrimoine mondial de l'Unesco

Stonehenge, dont le nom dérivé du vieil anglais *stanhen gist* signifie « pierres suspendues », est un lieu de sépulture entouré de cercles de pierres. La première « enceinte » est composée d'une série de monolithes qui peuvent mesurer jusqu'à 4 m de hauteur et qui sont surmontés de linteaux. À l'intérieur de cette enceinte se dressent 10 blocs reliés deux par deux par des pierres horizontales et disposés selon un plan en forme de fer à cheval. Stonehenge fut aménagé sur une période de plus de 1 500 ans.

Les mégalithes de Stonehenge sont tous orientés en fonction des solstices ainsi que des équinoxes – une orientation qui permettait de prévoir l'ensemble des changements de saison. Les rois-prêtres utilisaient probablement cette connaissance des saisons dans le but d'aider les populations agricoles à obtenir des semis et des récoltes satisfaisants.

**Druides, sages et prêtres des Celtes.** L'hypothèse selon laquelle Stonehenge aurait été un temple druidique a été écartée car, à l'époque des druides, le site existait déjà depuis 2 000 ans. Il semble néanmoins que ces prêtres celtes auréolés de mystère se soient approprié ce lieu de culte. Les druides formaient une sorte d'élite dans la société celte : ils étaient à la fois des poètes, des médecins, des astronomes, des philosophes, des mages et bien sûr des prêtres.

# Avebury

**EN BREF**

**2600-vers 2500 av. J.-C.**
Aménagement du site
**À partir du XIVe siècle**
Destruction sur ordre de l'Église
**1648**
Découverte par l'écrivain anglais John Aubrey
**Années 1920**
Fouilles dirigées par Alexander Keiller
**1930**
Érection de plusieurs monolithes couchés par le National Trust
**1986**
Inscription au patrimoine mondial de l'Unesco

**Ci-dessous :** le village d'Avebury, le grand talus circulaire et les vestiges des cercles de pierres.

LES CROMLECHS (CERCLES DE PIERRES) D'AVEBURY COMPTENT PARMI LES PLUS VASTES ET LES PLUS ANCIENS DES ÎLES BRITANNIQUES. EN TANT QUE LIEU DE CULTE, ILS SONT AUSSI IMPORTANTS QUE STONEHENGE.

En comptant le rempart qui entoure le site, Avebury s'étend sur une superficie de 15 ha. Le site lui-même est composé d'un grand cromlech externe (érigé vers 2500 av. J.-C.) d'une circonférence d'environ 1 200 m pour un diamètre de 427 m. Sur le talus d'une hauteur de 6 m se dressaient autrefois 98 monolithes, dont seuls 27 ont été conservés. À l'intérieur de ce premier cromlech se trouvent deux autres cercles de pierres plus petits.

**Un temple sacré de la fertilité.** L'érudit anglais William Stuckeley décrivit Avebury en 1720 comme un lieu sacré pour les druides, un sanctuaire de la Lune et du Soleil symbolisés par les deux cercles. La Lune incarne le sexe féminin ou la déesse-terre Tara ; le Soleil, le principe masculin ou le dieu-ciel Taran. Suivant les rituels de fertilité et conformément aux conceptions religieuses, le cercle est vu comme un symbole du principe féminin, les pierres dressées du principe masculin. En ce sens, il semble légitime d'affirmer qu'Avebury était un temple sacré de la fertilité.

ANGLETERRE

# Glastonbury

TEL UN ANIMAL PRÉHISTORIQUE, LA COLLINE DE GLASTONBURY TOR SE DRESSE À UNE HAUTEUR DE 160 M DANS LA PLAINE, NON LOIN DES RUINES D'UNE ANCIENNE ABBAYE – GLASTONBURY, UN « LIEU SACRÉ ET DIVIN SUR LA TERRE ».

Joseph d'Arimathie, disciple de Jésus et membre du sanhédrin, était présent lors de la crucifixion du Christ et demanda qu'on lui remette sa dépouille afin de l'enterrer dans son sépulcre taillé dans le roc. Pendant la crucifixion, alors que Jésus était à l'agonie, Joseph recueillit dans une coupe le sang qui coulait des blessures que les lances des soldats romains avaient laissées dans sa poitrine. On refusa ensuite de lui remettre le corps du Christ mais, lorsque ce dernier disparut de sa sépulture trois jours plus tard, le suspect sembla tout désigné : accusé d'avoir dérobé le corps, Joseph fut condamné à 40 ans d'emprisonnement. D'après la légende, Jésus lui apporta dans sa prison la coupe dans laquelle son sang avait été recueilli. Chaque jour, une colombe déposait un morceau de pain dans la coupe, permettant ainsi à Joseph de survivre dans son cachot. D'après la légende du Saint-Graal, Joseph quitta son pays dès qu'il fut libéré et partit en Angleterre, où il enterra le légendaire calice sur Glastonbury Tor, puis édifia une église sur le site.

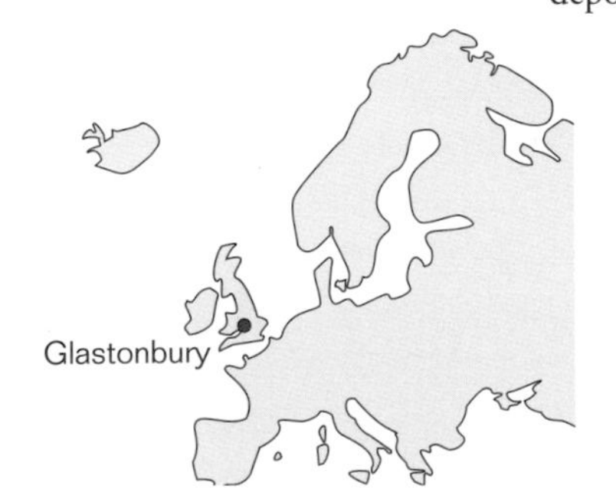


**La tombe du roi Arthur.** Un autre mystère entoure Glastonbury : est-ce ici que se trouve la tombe du roi Arthur ? À partir de 1191, les moines de Glastonbury commencèrent à affirmer, sans doute pour permettre la recons-

**EN BREF**

Glastonbury compte environ 10 000 habitants

**Situation :**
Ancienne abbaye bénédictine dans le Somerset, au sud-ouest de l'Angleterre

**601**
Première mention attestée de l'existence d'une abbaye dans un document officiel

**705**
Nouvelle fondation de l'abbaye par le roi Ine du Wessex

**Xe siècle**
Premier apogée de l'abbaye

**2de moitié du XIIIe siècle**
Nouvelle église gothique (longueur : 200 m)

**1 539**
Dissolution du monastère ; exécution du dernier abbé, Richard Whyting, avec deux moines, sur Glastonbury Tor

**Page ci-contre :** ruines de l'église abbatiale datant de la seconde moitié du XIIIe siècle.

**Ci-contre :** Glastonbury Tor et les ruines de l'église médiévale Saint Michael sur le sommet de la colline.

truction de l'église détruite par un incendie en 1184 et attirer un plus grand nombre de pèlerins, qu'ils avaient découvert un cercueil taillé dans un seul tronc d'arbre et portant l'inscription latine *Hic iacet sepultus inclitus rex Arturius in insula Avalonia* (« Ci-gît le renommé roi Arthur sur l'île d'Avalon »), sous les ruines de l'église abbatiale datant du VIIe siècle. Les ossements furent transférés dans le tombeau en marbre noir devant le maître-autel de l'abbaye lors de la visite du roi Édouard Ier en 1278. Ils y seraient restés jusqu'à la destruction de l'abbaye en 1536. On en a depuis plus aucune trace.

**Un pèlerinage sacré.** Peu de lieux en ce monde sont entourés d'autant de mythes, de légendes et de spiritualité que Glastonbury, et pratiquement aucun ne dégage autant d'énergie. Depuis des siècles, Glastonbury attire les pèlerins comme par magie. Le mysticisme du lieu en fait une destination sacrée aussi bien pour les chrétiens que pour les personnes sans confession et les disciples du New Age.

**Ci-dessous :** vue de l'intérieur de l'ancienne église abbatiale de style gothique.

ANGLETERRE

# Abbaye de Westminster

PREMIER SANCTUAIRE D'ANGLETERRE, LIEU DE SACRE ET MAUSOLÉE DE NOMBREUX ROIS, HOMMES D'ÉTAT REMARQUABLES, CHERCHEURS ET ARTISTES, PÈLERINAGE MÉDIÉVAL ET ATTRACTION TOURISTIQUE POUR DES MILLIERS DE VISITEURS... L'ABBAYE DE WESTMINSTER DE LONDRES EST TOUT À LA FOIS.

Au Moyen Âge, l'abbaye de Westminster était déjà la plus importante abbaye d'Angleterre et l'une des plus riches. Fondée sans doute par le roi anglo-saxon Offa au début du VIIIe siècle et transformée en monastère bénédictin pendant les réformes du Xe siècle, l'abbaye de Westminster fut aménagée par le roi Édouard le Confesseur (1042-1066) pour devenir la première abbaye d'Angleterre avec une résidence royale. L'église qu'Édouard fit construire et dans laquelle il fut enterré devait surclasser les autres édifices normands de l'époque. Deux siècles plus tard, elle fut remplacée par l'édifice actuel représentatif de l'âge d'or du gothique anglais.

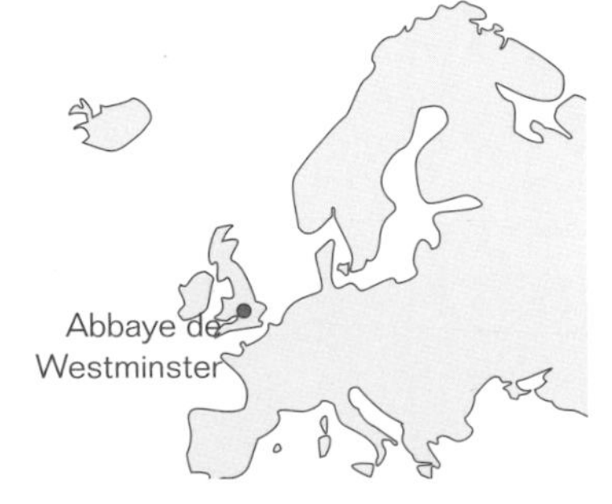


L'architecture de Westminster est d'inspiration française – transept à triple nef, chapelle rayonnante, proportions, tracerie, etc. – mais avec une forte connotation anglaise qui s'exprime dans certains détails comme les voûtes à liernes dans le transept et la nef, la coupe effilée et le profil des arcs ou les galeries en arcades à plusieurs niveaux dans les murs du transept. La façade de l'église avec son grand vitrail de style gothique perpendiculaire (XVe siècle) n'a été achevée qu'au XVIIIe siècle. Du monastère – transformé en collège laïc après sa dissolution en 1540, comme tous les monastères anglais –, seuls le cloître et surtout la

**EN BREF**

L'église collégiale Saint-Pierre appartient à la monarchie, son doyen est nommé par le monarque

**1065**
Consécration de l'église abbatiale construite sous Édouard le Confesseur
**1066**
Couronnement de Guillaume le Conquérant, depuis lieu de sacre traditionnel
**1246**
Début de la construction de l'église actuelle sous Henry III
**1503-1509**
Construction de la chapelle d'Henry VII
**1722-1745**
Édification des tours principales
**1987**
Inscription au patrimoine mondial de l'Unesco

**Page ci-contre :** la façade à deux tours ornée de statues de l'abbaye de Westminster ne fut achevée qu'au XVIIIe siècle, en arrière-plan à gauche, Big Ben.

**Ci-contre :** vue de l'intérieur et du chœur.

**En bas :** tombeau et gisant d'Élisabeth Ire – l'une des nombreuses sépultures royales à l'intérieur de l'église.

salle capitulaire avec son pilier central et ses magnifiques vitraux, qui était déjà réputée à son époque pour sa beauté, ont été préservés.

En plus des nombreuses sépultures royales, l'église abrite le reliquaire d'Édouard, canonisé en 1161, qui attirait de nombreux pèlerins au Moyen Âge. Conformément aux conceptions religieuses médiévales, la sainteté d'un lieu était déterminée par la présence de reliques. Les saints étaient perçus comme des intermédiaires entre le ciel et la Terre. Plus on pouvait se rapprocher d'eux, même si ce n'était que de leurs ossements, plus on était en position de les invoquer. Les reliquaires étaient souvent munis d'ouvertures afin qu'il soit au moins possible d'apercevoir leur contenu.

ALLEMAGNE

# Externsteine

EN PLEIN CŒUR DE LA FORÊT DE TEUTOBURG SE DRESSENT D'ÉTRANGES FORMATIONS ROCHEUSES ATTEIGNANT JUSQU'À 40 M DANS UN PAYSAGE SINON TOTALEMENT DÉPOURVU DE ROCHERS. LES EXTERNSTEINE ÉTAIENT DÉJÀ UN LIEU DE PÈLERINAGE ET UN SANCTUAIRE À LA PRÉHISTOIRE.

Spectacle de la nature et mystérieux monument historique, les étranges Externsteine étaient déjà vénérées comme lieu de culte et sanctuaire à l'âge de la pierre. Au XIIe siècle, l'évêque de Paderborn consacra une grotte dans la roche occidentale pour en faire une église. Au sommet de la pointe rocheuse, une chambre à laquelle on ne peut accéder que par un pont arqué fut longtemps utilisée comme chapelle. À gauche de l'entrée se trouve la plus ancienne sculpture monumentale à l'air libre d'Allemagne, un bas-relief représentant la descente de croix ; sur sa droite on reconnaît Nicodème foulant aux pieds le symbole Irminsul ; juste en dessous le « serpent du monde » symbolise les forces telluriques des Externsteine. Nicodème apparaît dans l'Évangile selon saint Jean comme un membre du conseil des Pharisiens qui apporta de la myrrhe et de l'aloès lors de la mise au tombeau du Christ pour embaumer son corps. Pour les disciples du New Age, les Externsteine sont un sanctuaire et un lieu de pèlerinage : sorcières, druides, membres de communautés religieuses celtes et ésotéristes se réunissent de nouveau ici.

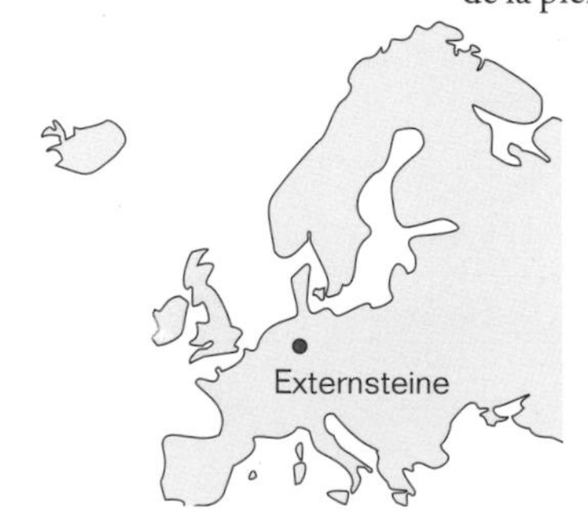


**Le symbole Irminsul.** En 1935, l'archéologue amateur Wilhelm Teudt avança que les Externsteine étaient le sanctuaire saxon d'Irminsul. Irminsul était considéré

**EN BREF**

Seules les 13 dernières colonnes rocheuses sont considérées comme un lieu de culte

**Situation :**
District de Lippe dans le nord-est de la Rhénanie-du-Nord-Westphalie
**Géologie :**
Grès de l'Osning ; date du crétacé inférieur, il y a environ 120 millions d'années
**Longueur :**
Plusieurs centaines de mètres (toute la paroi)
**1926**
Les Externsteine sont placées sous protection dans le cadre de la réserve naturelle Externsteine d'une superficie 127 ha

comme le symbole de la résistance des religions germaniques face à la christianisation. Charlemagne aurait détruit le lieu de culte saxon des Externsteine, et donc Irminsul, en 722 pendant les guerres contre les Saxons. Par conséquent, des groupes néonazis se retrouvent ici aujourd'hui pour ranimer d'anciennes croyances germaniques en célébrant les fêtes du solstice et en vouant un culte à des dieux germaniques comme Wotan et Freya.

**Découvertes de l'âge de la pierre.** Des pointes en pierre et des débris datant du début de l'âge de la pierre ont été découverts à proximité des formations rocheuses, ce qui prouve que des hommes y vivaient 10 000 ans avant notre ère. La fonction des Externsteine avant l'ère chrétienne reste cependant un mystère. Plusieurs théories sont avancées : le site aurait pu servir d'observatoire dans le cadre des cultes de la nature germaniques, de lieu de culte des dieux germaniques ou encore d'oracle, comme l'affirmait l'anthroposophe Rolf Speckner.

**En haut et ci-contre :** les formations rocheuses d'Externsteine, près de Horn, forment un paysage naturel qui attire depuis toujours l'attention. Pendant le premier quart du XIIe siècle, Heinrich Werl, évêque de Paderborn, imagina là un site du Saint-Sépulcre comprenant un relief représentant la descente de croix du Christ : œuvre exceptionnelle de la sculpture romane allemande.

ALLEMAGNE

# Cathédrale d'Aix-la-Chapelle

CHARLEMAGNE FIT D'AIX-LA-CHAPELLE LE CENTRE DE SON EMPIRE IL Y A PLUS DE 1 200 ANS. IL Y FIT ÉRIGER UN MONUMENT MAJEUR REPRÉSENTATIF DE SA VISION DU LIEN INDISSOCIABLE ENTRE EMPIRE ET ÉGLISE, ENTRE POUVOIR ET RELIGION.

L'empereur Charlemagne (747-814) avait compris la capacité de l'Empire romain disparu à unir des cultures, des religions et des peuples différents, et à en tirer profit pour mener à bien ses objectifs. Il avait avant tout conscience du pouvoir unificateur de la religion. Ce n'est donc pas un hasard si, dans la tradition des empereurs romains, il fit construire l'église consacrée à la Vierge, sa chapelle palatine, sur les ruines de thermes romains. Cet édifice octogonal, noyau de l'actuelle cathédrale, devint le centre religieux de son royaume franc. Selon Charlemagne, le roi représentait sur Terre le Christ trônant dans les cieux ; c'est de ce dernier qu'il avait reçu la mission de régner.

La construction de son église en revanche soulignait son désir d'apparaître comme l'héritier de l'Empire romain. Force unificatrice de l'Empire, la chapelle palatine devint rapidement un lieu sacré pour les croyants. Le flux de pèlerins augmenta tant que l'édifice dut sans cesse être agrandi au fil des siècles.

**La chapelle palatine, lieu de sacre.** Les Romains avaient découvert à cet endroit un lieu de culte celte consacré au dieu Grannos, le dieu guérisseur de la lumière, du feu et des sources chaudes. Ils le transformèrent en thermes pour les légionnaires frontaliers et baptisèrent le site Aquis

**EN BREF**

**Seconde moitié du VIII^e siècle**
Construction de la chapelle palatine sous Charlemagne
**813-1531**
Sacre de 32 rois allemands
**1215**
Transfert des ossements de Charlemagne dans la châsse de Charlemagne par Frédéric II
**1664**
Ajout d'une coupole baroque sur la chapelle palatine
**Après 1879**
Transformation suivant les principes de l'historicisme
**Seconde Guerre mondiale**
Dommages de guerre
**Jusqu'en 1966**
Restauration complète
**1978**
Inscription au patrimoine mondial de l'Unesco

**Page ci-contre :** le célèbre octogone, la chapelle palatine de Charlemagne, se trouve au cœur de la cathédrale d'Aix-la-Chapelle, elle-même composée de plusieurs corps de bâtiments.

**Ci-contre :** l'abside carolingienne fut remplacée au XIV^e siècle par une grande « serre » inspirée par le chœur lumineux de la Sainte-Chapelle de Paris de 100 ans son aînée.

Grana, « les sources de Grannos ». Charlemagne y fit construire son palais impérial et, au fil des siècles, une couronne resserrée de chapelles fut édifiée autour de la chapelle palatine. Par son plan octogonal, la cathédrale d'Aix-la-Chapelle rappelle que Jésus ressuscita des morts le lendemain du Sabbat, le huitième jour de la Création – dans la théologie médiévale, le chiffre huit était celui de l'accomplissement, le huit couché devint par la suite le symbole de l'infini. La cathédrale possède huit grandes tours et huit petites, nouvelle répétition de ce chiffre repère dans ce lieu de culte.

Dans son cercle d'amis érudits, Charlemagne se faisait volontiers surnommer « roi David ». Il se voyait en effet comme un descendant des rois de l'Ancien Testament. En 813, Charlemagne couronna lui-même son fils, Louis le Pieux, dans le cadre d'un service religieux solennel. Ce ne fut cependant que plus d'un siècle plus tard, en 936, qu'Otton I^er, instaura par son sacre à Aix-la-Chapelle la longue tradition des sacres initiée par Charlemagne, qui fut inhumé dans la chapelle palatine, et perpétrée par les 30 rois allemands suivants.

**Ci-dessous et en bas, à droite :** vue de l'intérieur de l'octogone carolingien caractérisé par ses formes décoratives de la fin de l'Antiquité ; au niveau supérieur, le trône de Charlemagne.

ALLEMAGNE

# Cathédrale de Cologne

EN 1164, COLOGNE, LA PLUS GRANDE VILLE DU SAINT EMPIRE ROMAIN GERMANIQUE AU MOYEN ÂGE, EUT BESOIN D'UNE NOUVELLE ÉGLISE LORSQUE LES RELIQUES DES ROIS MAGES FURENT RAPPORTÉES DE MILAN ET INSTALLÉES DANS UNE CHÂSSE SOMPTUEUSE. LA NOUVELLE CATHÉDRALE FUT À LA HAUTEUR DE SON RELIQUAIRE.

L'importance du reliquaire de Cologne au Moyen Âge tient en premier lieu au fait qu'après avoir été couronnés à Aix-la-Chapelle, tous les rois allemands devaient se rendre à Cologne pour se recueillir devant la châsse des Rois mages. Il s'agit non seulement du plus grand reliquaire médiéval ayant été conservé, mais aussi d'un chef d'œuf exceptionnel d'un point de vue tant iconographique qu'artistique. La conception et la structure de la châsse sont dues à Nicolas de Verdun, un artiste considéré comme le plus grand orfèvre du Moyen Âge.

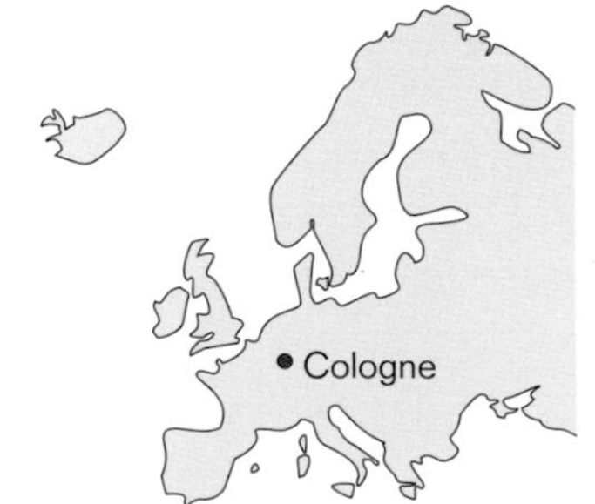


**Des exigences élevées.** La taille et la qualité de la châsse répondaient aux ambitions liées à la nouvelle cathédrale qui devait remplacer l'ancien édifice carolingien. Cette châsse devait également surpasser par ses dimensions et son exécution artistique tout ce que l'on avait pu admirer jusqu'alors. La première pierre fut enfin posée en 1248. On édifia une cathédrale à cinq nefs avec transept, chevet à déambulatoire et chapelles rayonnantes. Les deux tours prévues à l'ouest furent élevées à une hauteur impressionnante. On s'inspira sans conteste de modèles architecturaux français aussi bien pour la structure dans son ensemble que pour les détails. La construction de la cathédrale fut sans cesse interrompue : le chœur ne put être consacré

Page ci-contre et à droite : vue de la cathédrale de Cologne depuis le Rhin. Les bâtiments du centre-ville de Cologne étant relativement peu élevés, la cathédrale a conservé sa place prééminente dans la cité. La façade de la cathédrale couvre une surface de 7 000 m², un record mondial.

qu'en 1322, la tour sud atteignit le deuxième étage en 1410 et la façade ouest ainsi que d'autres éléments ne furent achevés qu'au XIXe siècle, dans un sursaut de nostalgie romantique du lointain Moyen Âge et un renouveau du sentiment national.

**Pèlerinage des Rois mages.** Le magnifique reliquaire et la nouvelle cathédrale de Cologne encouragèrent le culte des Rois mages. Le pèlerinage de Cologne connut son apogée du XIVe siècle à 1794. Parmi les nombreux aménagements supplémentaires que la cathédrale et le trésor de la cathédrale abritent, dont la croix de Géron, l'autel des Rois mages de Stephan Lochner parmi tant d'autres, il reste à ce jour le plus beau.

**En bas :** l'Adoration des Rois mages sur l'avant de la châsse des Rois mages. Lorsque l'archevêque Renaud de Dassel eut rapporté les reliques des Rois mages à Cologne en 1164, la cathédrale ne fut plus uniquement l'église de l'archevêché de Cologne, elle devint aussi l'un des lieux de pèlerinage les plus importants d'Europe.

**EN BREF**

Dimensions de la châsse des Rois mages :
**Hauteur :** 153 cm
**Largeur :** 110 cm
**Longueur :** 220 cm
Elle est ornée de 1 000 pierres précieuses et perles, et sertie de plus de 300 camées anciens

Dimensions de la cathédrale :
**Longueur totale :** 144 m
**Largeur dans le transept :** 86 m
**Hauteur de la nef :** 43 m
**Hauteur des tours :** 157 m
**Superficie de l'intérieur :** 6 166 m²

AUTRICHE

# Abbaye de Melk

L'ABBAYE BÉNÉDICTINE DE MELK EST UN SYMBOLE DE LA RÉGION DE WACHAU, EN BASSE-AUTRICHE. CETTE ABBAYE EST AUJOURD'HUI ENCORE LE CENTRE IDÉOLOGIQUE DE L'ORDRE DES BÉNÉDICTINS ET SA BIBLIOTHÈQUE DE MANUSCRITS EST L'UNE DES PLUS GRANDES ET DES PLUS PRÉCIEUSES AU MONDE.

Melk fut dès l'époque romaine un lieu d'une grande importance stratégique. Une première forteresse y fut édifiée sur un rocher surplombant le Danube et devint par la suite le fief des Babenberg. Cette forteresse apparaît sous le nom de « Medelike » dans *La Chanson des Nibelungen* : Kriemhild y fit une halte alors qu'elle allait voir Attila, le roi des Huns ; comme elle souhaitait poursuivre au plus vite, « on apporta sur la route, à force de bras, maints somptueux récipients d'or contenant du vin aux voyageurs ; ils étaient les bienvenus ».

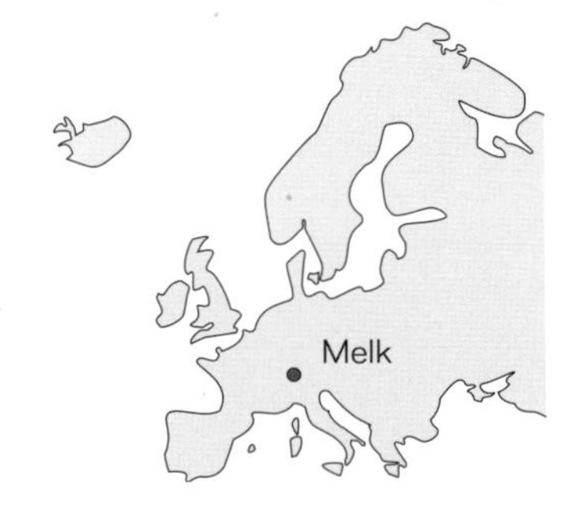


Léopold II fonda un monastère à Melk en 1089 avec des bénédictins du monastère de Lambach en Haute-Autriche qui avait rejoint la réforme d'Hirsau. L'abbaye de Melk devint rapidement un centre culturel doté d'un important *scriptorium*. Au début du XVe siècle, l'abbé Nikolaus Seyringer introduisit à Melk le *Consuetudines*, c'est-à-dire les règles précises de l'ordre de l'abbaye de Subiaco, et fit ainsi de Melk le point de départ de la réforme qui porte le nom de la ville et dont la portée concerna surtout l'Autriche et le sud de l'Allemagne.

Après l'époque de la réforme, qui fut pour tous les monastères une période de déclin, Melk connut au XVIIe siècle un nouvel essor dans les domaines spirituel

**Page ci-contre :** certains monastères de cette époque se sont fortement inspirés de l'exubérance baroque des résidences. L'abbaye-forteresse de Melk qui surplombe le Danube en est un exemple flamboyant.

**Ci-contre :** l'intérieur de l'église exprime la volonté baroque de mettre en scène une œuvre d'art totale : architecture, sculpture et peinture au service de la religion.

et scientifique. La construction d'une nouvelle église et d'un nouveau monastère au début du XVIIIe siècle en fut l'expression concrète. Les travaux furent dirigés par l'architecte Jakob Prandtauer et son successeur, Joseph Munggenast. Le style baroque employé énonce clairement que le somptueux édifice situé sur les rives du Danube se devait surtout d'être la démonstration du pouvoir temporel de l'Église.

Percée d'une multitude de fenêtres, l'église à deux tours qui se dresse sur une terrasse semi-circulaire est la pièce maîtresse du complexe. L'intérieur est fastueusement décoré de marbre et de fresques de Johann Michael Rottmayr et Paul Troger, à qui l'on doit aussi le plafond de la bibliothèque. Cette dernière, dont les rayons comptent plus de 85 000 volumes précieux, renferme une collection de tous les écrits majeurs qui ont en partie établi les fondements de la pensée occidentale.

**La règle de Saint Benoît.** « Renoncer à soi-même pour suivre le Christ. Mater son corps. Ne pas s'attacher aux plaisirs. Aimer le jeûne. » Ce ne sont que quelques-unes des règles de la vie monastique dictées par Benoît de Nursie et regroupées en 72 chapitres, pour l'ordre fondé en 529 à l'abbaye du Mont-Cassin en Italie. Ces règles monastiques traditionnellement résumées par la formule *« ora et labora »* (« prie et travaille »), trouvèrent un écho particulièrement fort en Europe.

**EN BREF**

**480-542**
Fondation de l'ordre des bénédictins par Benoît de Nursie à l'abbaye du Mont-Cassin

**996**
Première mention attestée du nom Ostarrîchi (Autriche)

**1089**
Donation de la forteresse de Melk aux bénédictins par Léopold II

**1702-1736**
Construction de la collégiale et du couvent bénédictin baroque

**2000**
Inscription de la région de Wachau au patrimoine mondial de l'Unesco

POLOGNE

# Basilique Notre-Dame de Cracovie

LE PAPE JEAN-PAUL II SE SENTAIT CHEZ LUI À CRACOVIE. SON ADORATION DE LA VIERGE TROUVAIT REFUGE DANS LA BASILIQUE NOTRE-DAME DE CRACOVIE, DONT LE RETABLE MARIAL DE VEIT STOSS EST L'UNE DES ŒUVRES D'ART MAJEURES DE LA POLOGNE.

Le catholicisme polonais est connu pour accorder une importance particulière au culte marial, comme en témoignèrent les déclarations du pape polonais, aujourd'hui défunt, au monde entier en 2005. « La dévotion mariale, écrivit Jean-Paul II, qui fut archevêque de Cracovie de 1964 à 1978, est partie intégrante de ma vie intérieure ainsi que de ma théologie spirituelle. Je dois également ajouter que ma relation personnelle, spirituelle et intime avec la Mère du Christ depuis mon jeune âge remonte au grand courant du culte marial dont l'histoire et les nombreuses ramifications puisent leurs racines en Pologne. »

Cracovie

La visite de Jean-Paul II en Pologne en 1979 fut un événement très émouvant pour le peuple polonais. C'était en effet la première fois qu'un évêque originaire d'un pays slave avait été élu pape et allait avoir une influence décisive sur l'ensemble du monde chrétien. Lorsqu'il fut victime d'un attentat à Rome en 1980, il remercia la Vierge de Fátima pour sa survie, car l'attentat avait eu lieu à la même date que l'apparition de Marie au Portugal.

**La basilique Notre-Dame et son maître-autel.** La basilique Notre-Dame de Cracovie était l'église du

**EN BREF**

**1222**
Premier édifice roman, détruit en 1241
**1355-1408**
Construction de la basilique actuelle
**1477-1489**
Autel marial de Veit Stoss – avec ses dimensions, 11 x 13 m, il est le plus grand autel gothique d'Europe et le plus important du gothique flamboyant

**Page ci-contre :** le maître-autel de la basilique Notre-Dame réalisé par Veit Stoss (1477-1489), d'une hauteur de 725 cm pour une largeur de 534 cm

**Ci-contre :** des nonnes saluent Jean-Paul II lors de sa visite à Cracovie en août 2002

Polonais le plus célèbre de ces 50 dernières années et dont le procès en béatification fut ouvert immédiatement après sa mort. Cette basilique gothique dotée d'une nef à trois vaisseaux, d'une façade ouest à deux tours et d'une voûte étoilée fut édifiée de 1355 à 1408.

Le chœur allongé abrite quant à lui l'œuvre d'art la plus célèbre de la ville : le retable marial de Veit Stoss orné de quelque 200 statues sculptées dans du tilleul, peintes et dorées. Les personnages de la scène centrale, qui représente la dormition de la Vierge, sont plus grands que nature. Cette scène est surmontée par une représentation de l'Assomption, les reliefs des côtés du retable retracent quant à eux la vie du Christ et de la Vierge. L'artiste a créé le retable pour que celui-ci soit observé depuis une certaine distance : de près, les personnages semblent étrangement tassés.

Sur la façade de la basilique, on retrouve des pierres tombales et commémoratives, dont une plaque en l'honneur du pape polonais Jean-Paul II.

**Ci-dessous :** la place du marché de Cracovie et l'église paroissiale Notre-Dame de l'Assomption (basilique Notre-Dame) dans le coin nord.

POLOGNE

# Monastère de Jasna Góra

LE MONASTÈRE BAROQUE DE JASNA GÓRA À CZESTOCHOWA EST LE TROISIÈME LIEU DE PÈLERINAGE CATHOLIQUE DU MONDE ; ON Y VÉNÈRE L'ICÔNE DE LA VIERGE NOIRE DE CZESTOCHOWA.

Le monastère de Jasna Góra, la « Montagne Claire », à Czestochowa, est le sanctuaire national de la Pologne. D'après la tradition, l'icône vénérée ici aurait été peinte par l'évangéliste saint Luc sur un morceau d'une table fabriquée par Jésus. Elle fut découverte par sainte Hélène, la mère de l'empereur romain Constantin (vers 280-337), qui collectait les reliques en Terre sainte. L'icône arriva ensuite à Constantinople, où la légende raconte qu'elle resta pendant 500 ans. En 803, elle aurait été offerte en cadeau de mariage par l'empereur byzantin à une princesse grecque qui épousait un prince ruthénien. Elle demeura alors environ 600 ans dans le palais royal de Belz, en Ukraine, non loin de la frontière polonaise.

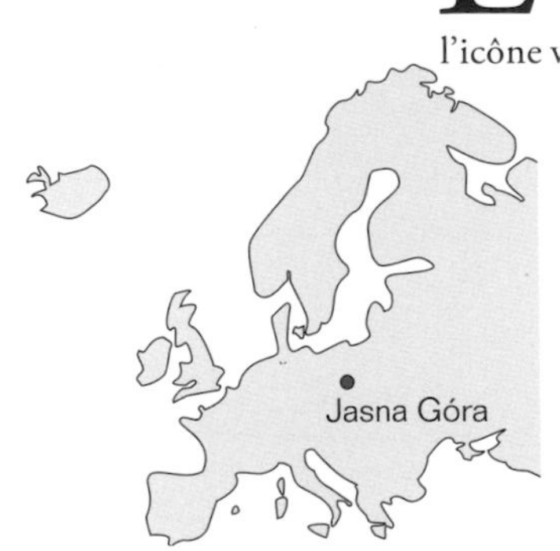


L'icône serait arrivée en Pologne en 1382 lorsque l'armée polonaise prit la fuite face aux Tartares. Selon la légende, la chapelle de Belz où se trouvait l'icône fut enveloppée d'un mystérieux nuage pendant le pillage, ce qui permit aux Polonais de la dérober sans être vus. Un monastère paulinien fut fondé à Czestochowa en 1386 pour accueillir l'image sainte. Peu de temps après le roi Ladislas II Jagellon (1348-1434) fit édifier une cathédrale autour de la chapelle.

**EN BREF**

**1386**
Fondation du monastère de Jasna Góra
**1430**
Attaque du monastère et dommages importants causés à l'icône de la Vierge
**1650**
Offrande de l'autel en ivoire et argent sur lequel se trouve l'icône par Georges Ossolínski
**1950**
Fin des travaux de restauration
**1983**
Lech Walesa dédie son prix Nobel à la Vierge noire.
**Taille de l'icône :**
122,2 x 82,2 x 3,5 cm

**Page ci-contre :** service religieux en plein air pour répondre aux besoins des très nombreux visiteurs.

**Ci-contre :** la Vierge noire, « Reine de Pologne », est protégée par une capote en argent que l'on enlève lors des grandes occasions.

**Reine de Pologne.** Plusieurs miracles ont été attribués à la madone : lorsque les troupes suédoises s'apprêtèrent à attaquer Czestochowa en 1655, les soldats de l'armée polonaise, en forte infériorité numérique, se recueillirent aux pieds de la Vierge noire et leurs ennemis battirent miraculeusement en retraite. Le roi Jean Casimir II (1609-1672) nomma en 1656 la Sainte Vierge de Czestochowa « Reine de Pologne » et fit de la ville le centre spirituel du pays. En 1920, les troupes russes qui préparaient l'attaque de Varsovie se regroupèrent sur les bords de la Vistule. Le 15 septembre, la madone apparut dans les nuages au-dessus de la ville et il se produisit un événement qui entra dans l'histoire sous le nom de « miracle de la Vistule » : les Russes furent vaincus.

Pendant l'occupation du pays par l'Allemagne nazie, Hitler avait interdit les pèlerinages à Jasna Góra, mais nombreux furent ceux qui continuèrent de visiter ce sanctuaire en cachette. Après la libération, plus d'un demi-million de croyants se réunit en 1945 autour de la Vierge noire ; le 8 septembre 1946, ils étaient un million et demi. Un flux ininterrompu de pèlerins visite aujourd'hui ce lieu sacré.

**Ci-dessous et en bas, à gauche :** les fidèles progressent vers la destination de leur pèlerinage, la Vierge noire.

RUSSIE

# Monastère de Sergiev Posad

LA LAURE DE LA TRINITÉ-SAINT-SERGE EST LE PLUS CÉLÈBRE DES MONASTÈRES RUSSES ET LE CENTRE RELIGIEUX DES CHRÉTIENS ORTHODOXES DE RUSSIE. FONDÉ AU XIVe SIÈCLE PAR SAINT SERGE DE RADONÈGE, IL JOUA UN RÔLE DÉCISIF DANS LE DÉVELOPPEMENT DU MONACHISME ORTHODOXE RUSSE.

Saint Serge de Radonège (1319-1392) fonda à 70 km de Moscou le plus grand sanctuaire de l'Église orthodoxe de Russie. Le monastère se développa autour d'une modeste église en bois dans une région isolée. Serge fut nommé abbé du monastère en 1355, puis saint patron de la Russie en 1422. La cathédrale de la Trinité, qui abrite de magnifiques fresques, fut édifiée la même année au-dessus de sa sépulture. Dès lors s'instaura la tradition selon laquelle les membres de la famille du tsar et d'autres personnalités étaient baptisés et mariés dans cette église, un grand nombre d'entre eux y trouvèrent même refuge. Au cours de sa longue histoire, ce monastère dut être défendu à maintes reprises : les Tartares le rasèrent au XIVe siècle, les Lituaniens, les Suèdes et les Polonais l'attaquèrent tour à tour et il fut plusieurs fois pillé. Des remparts et huit tours de garde furent édifiés pour assurer sa sécurité, ce qui lui confère l'allure d'une forteresse. Grâce à sa situation isolée et aux subventions de la couronne, il devint, notamment au XIXe siècle, le propriétaire foncier le plus riche de Russie. Un village *(posad)* se développa à l'extérieur de ses murs et donna naissance à la ville de Sergiev Posad, la colonie de Serge, connue sous le nom de Sagorsk pendant la période soviétique.

**EN BREF**

**1340**
Fondation du monastère par Serge de Radonège
**1392**
Mort de saint Serge, « prieur et maître de tous les monastères de Russie »
**1422-1423**
Construction de la cathédrale de la Trinité
**1559-1585**
Construction de la cathédrale de l'Assomption
**1608-1610**
Occupation par les troupes polonaises
**1814**
Fondation de l'académie de théologie dans le palais des tsars
**1920**
Dissolution du monastère, transformation en musée
**1993**
Inscription au patrimoine mondial de l'Unesco

**Ci-dessous :** l'architecture de la cathédrale de l'Assomption édifiée au XVIe siècle s'inspire de la cathédrale de l'Assomption du Kremlin de Moscou.

**Page ci-contre :** l'ensemble du complexe monastique protégé par des murs et des tours fait forte impression.

**Ci-contre :** les coupoles de la cathédrale de l'Assomption arborent des décorations étoilées d'inspiration orientale.

**Un monastère de très haut rang.** La tsarine Élisabeth Ire conféra le titre de « laure » au monastère en 1744. Ce mot signifie à l'origine « ruelle » ou « entrée » et désigne la cellule des moines. Il s'agit, dans l'Église orthodoxe, d'un titre honorifique décerné aux monastères de très haut rang. À partir de cette date, la famille impériale fit chaque année un pèlerinage au monastère. C'est également à Élisabeth que l'on doit le clocher qui, du haut de ses 66 m, est encore à ce jour le plus haut de Russie. Devant cette tour se dresse une fontaine d'eau sacrée à laquelle les fidèles attribuent des vertus thérapeutiques. Des millions de pèlerins continuent de venir pour boire cette eau.

La laure fut nationalisée et fermée après la révolution russe, ses bâtiments furent transformés en musées qui abritent les plus magnifiques des œuvres d'art orthodoxes du monde. Staline restitua cependant le monastère à l'Église orthodoxe en 1945 et, le 16 avril 1946, on célébra de nouveau un office religieux dans l'église de la Trinité. L'Église orthodoxe de Russie a regagné de l'importance depuis 1989.

FRANCE

# Carnac

C'EST À CARNAC, EN BRETAGNE, QUE L'ON TROUVE LE PLUS GRAND ET LE PLUS MYSTÉRIEUX DE TOUS LES ALIGNEMENTS DE MÉGALITHES. CEUX-CI SONT AUJOURD'HUI LES DERNIERS TÉMOINS FÉERIQUES DU SANCTUAIRE D'UN PEUPLE DISPARU.

Un monument préhistorique composé de plus de 3 000 colosses de pierre s'étend près de Carnac sur la côte Atlantique. Les menhirs, ou *ar-men-hir* – mot breton signifiant « pierre longue » –, ont été taillés dans le granit et dressés les uns isolés, les autres alignés ou en cercles. Il est certain que ce ne sont ni les Romains, ni les Gaulois, ni même les Celtes qui installèrent ces pierres. C'est un peuple inconnu qui aménagea aux prix d'efforts inconcevables ce monument sacré vers la fin du néolithique dans l'espoir de vaincre la mort.

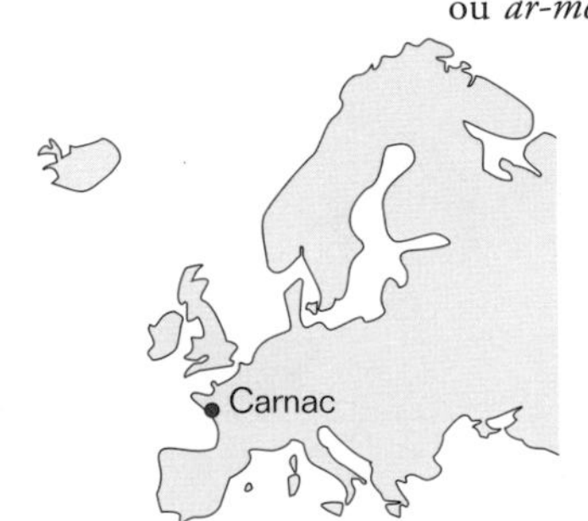


La magie sacrée des pierres attire les hommes depuis des siècles. On dit qu'au XIIIe siècle des menhirs se seraient mis à tourner lors de plusieurs fêtes et que certains d'entre eux laisseraient entendre des plaintes et des cris de douleur lorsque l'on pose l'oreille sur la pierre. Les menhirs restent liés au mythe d'êtres disparus dotés de pouvoirs magiques qui auraient fait des pierres les porteuses de ces forces surnaturelles.

**Symboles de fertilité.** Les menhirs sont depuis toujours vénérés par les Bretons comme des objets de culte. À des époques plus anciennes, ils servaient à des fins religieuses et furent « utilisés » par toutes les civilisations qui croisèrent leur route : les armées romaines les virent lors de leurs

**EN BREF**

Plus de 3 000 menhirs mesurant jusqu'à 4 m de hauteur; alignés sur plus de 3 km (initialement 8 km)
Ces menhirs datent de 3000 à 1800 avant notre ère.

**Page ci-contre :** ces colosses de pierre préhistoriques mesurant jusqu'à 4 m de hauteur sont alignés sur plus de 3 km.

**Ci-contre :** de nombreux spécialistes pensent que Carnac est une nécropole, car on y trouve des tombes à couloir avec des pierres décorées. Ces sépultures sont en revanche plus récentes que les menhirs.

campagnes et y sculptèrent des représentations de leurs dieux; les chrétiens les « christianisèrent » au Moyen Âge en ajoutant des croix et des symboles chrétiens. Certaines pierres furent même employées dans la construction d'églises. Néanmoins, tout au long de l'histoire chrétienne, des menhirs furent également détruits, endommagés ou enterrés par des prêtres pour neutraliser l'œuvre païenne. Ils ne laissèrent jamais personne indifférent.

Les menhirs touchent aussi les visiteurs d'aujourd'hui, pour différentes raisons, que ce soit par respect pour leurs constructeurs ou pour la croyance que les pierres ont une action sur la fertilité. Des couples désirant des enfants se réunissent la nuit dans le cercle magique des menhirs sacrés, dansent autour des pierres ou les enduisent d'huile. Le menhir de Saint-Cado guérirait même les femmes de la stérilité.

**Ci-dessous :** les quelque 3 000 menhirs de Carnac sont les témoins mystérieux d'un peuple disparu, qui commença à les installer ici il y a plus de 5 000 ans.

FRANCE

# Abbaye de Cluny

CLUNY INITIA UNE MUTATION PROFONDE DU MONACHISME MÉDIÉVAL. PAR LA RÉFORME D'AUTRES MONASTÈRES, L'ABBAYE BÉNÉDICTINE BOURGUIGNONNE, QUI SERVIT DE MODÈLES À TANT D'AUTRES, DEVINT LE DEUXIÈME CENTRE DU POUVOIR RELIGIEUX APRÈS ROME.

Le duc d'Aquitaine, Guillaume Ier d'Aquitaine dit Le Pieux (875-918), soutint la fondation de Cluny en 910. Il interdit toute ingérence laïque dans les affaires de l'abbaye et libéra cette dernière de toutes ses obligations. Guillaume transmit l'abbaye et toutes ses possessions à saint Pierre et la plaça sous la juridiction de son représentant sur Terre, le pape. Cette décision marqua durablement l'avenir de Cluny. Les mandats très longs de ses cinq abbés les plus célèbres, Odon, Maïeul, Odilon, Hugues de Semur et Pierre le Vénérable, furent également décisifs pour son développement : ils exercèrent à eux tous 193 ans. Cette continuité et le talent de ces hommes firent de Cluny une grande et puissante abbaye.

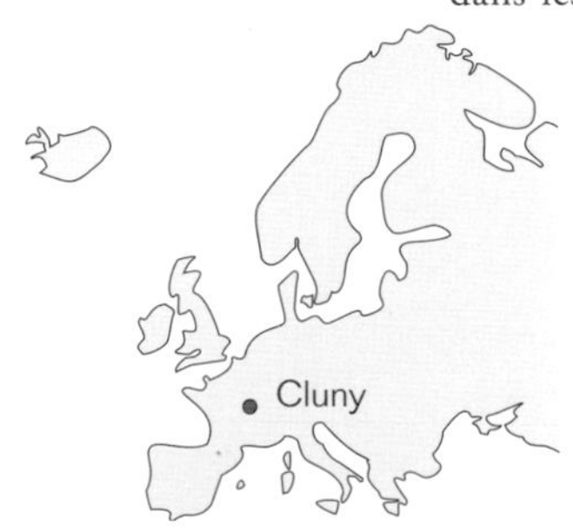


Vers l'an 1000, l'abbé Odilon déclara que la première mission des moines devait être de veiller au salut des âmes des croyants : par leurs prières et leur intercession pour les défunts, la chrétienté pourrait être sauvée de la damnation éternelle. À Cluny, le recueillement et les prières d'intercession prirent systématiquement une intensité jusqu'alors inédite. En 1098, le pape Urbain II qualifia l'abbaye de « lumière du monde ».

Le modèle clunisien connut un vif succès. Pendant longtemps, les dons ne cessèrent d'affluer, plusieurs

## EN BREF

**910**
Fondation de Cluny
**1088-1131**
Construction de la troisième église abbatiale
**XVe-XVIIIe siècle**
Nombreuses fondations d'abbayes
**1790**
Fermeture de l'abbaye
**Jusqu'en 1823**
Destruction systématique de l'église, utilisée comme carrière de pierres

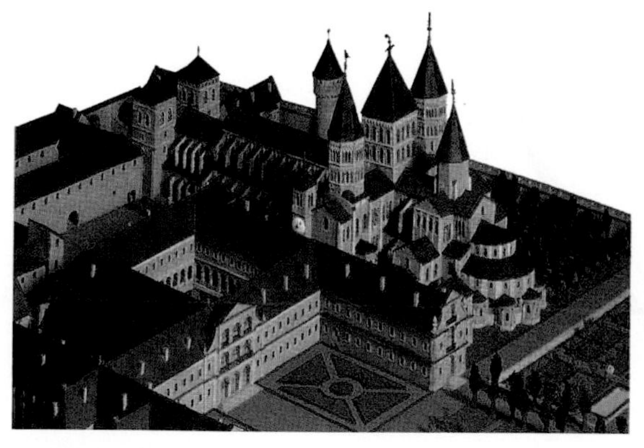

**Ci-dessus :** maquette de l'abbaye avec l'église « Cluny III » dans l'actuel musée de l'abbaye.

**Ci-contre :** de « Cluny III », il ne reste aujourd'hui plus que le transept sud et sa tour.

**Page ci-contre :** pièces du musée : une table d'autel romane et les huit chapiteaux des piliers du déambulatoire.

abbayes adoptèrent la réforme clunisienne et de nombreuses personnes embrassèrent le monachisme. La *Cluniacensis ecclesia* devint l'élite de la chrétienté.

**La plus grande église du monde.** Cluny se démarquait des autres abbayes par son administration. Habituellement, les abbayes étaient indépendantes les unes des autres et uniquement liées de manière informelle, c'est-à-dire par les ordres. Or, de plus en plus d'abbayes firent leur apparition dans la tradition clunisienne, et des prieurs placés sous l'autorité de Cluny furent donc nommés. Une association très ramifiée d'abbayes finit ainsi par se développer. En 1016, Cluny reçut ses pleins pouvoirs directement du pape, de plus en plus d'abbayes bénédictines se placèrent dès lors sous l'autorité de Cluny. Vers 1088, on lança à Cluny la construction de la troisième église abbatiale, dont il ne reste aujourd'hui qu'une petite partie puisqu'elle fut démolie pendant la Révolution française. Avec une nef à double collatérale, deux transepts, cinq chapelles rayonnantes, une multitude de tours et une longueur de 187 m, « Cluny III » fut pendant des siècles la plus grande église chrétienne du monde.

FRANCE

# Abbaye cistercienne de Fontenay

L'ABBAYE DE FONTENAY SE TROUVE DANS UNE VALLÉE BOISÉE EN BOURGOGNE. FONDÉE AU XIIe SIÈCLE PAR SAINT BERNARD DE CLAIRVAUX, PERSONNAGE CLÉ DE L'ORDRE DES CISTERCIENS, ELLE EST L'ABBAYE CISTERCIENNE MÉDIÉVALE LA MIEUX CONSERVÉE AU MONDE.

L'abbaye de Fontenay fut fondée en 1118 par Bernard de Clairvaux sur un terrain que son oncle lui avait légué en Bourgogne. Les premiers moines cisterciens s'installèrent dans l'abbaye vers 1130. En 1139, l'évêque de Norwich se réfugia à Fontenay pour échapper aux persécutions qu'il subissait en Angleterre. Pour remercier l'abbaye, il lui octroya les moyens financiers de faire avancer la construction de l'église abbatiale, qui fut consacrée en 1147 par le pape Eugène III. Vers 1200, l'abbaye était si développée que 300 moines y vivaient. En 1259, elle fut nommée « abbaye royale ». Les guerres de religion du XVIe siècle en détruisirent de grandes parties et, en 1790, un an après le début de la Révolution française, les huit derniers moines quittèrent l'abbaye. En 1791, l'abbaye sécularisée fut vendue et transformée en papeterie. Ce changement d'affectation sauva l'abbaye de la destruction totale.

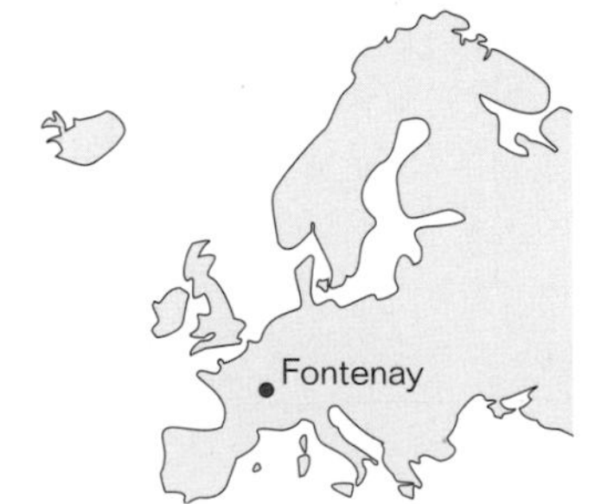


**Bernard de Clairvaux.** En 1113, Bernard de Clairvaux (1090-1153) joignit l'abbaye de Cîteaux, fondée en 1098 à Dijon, en Bourgogne, et qui a donné le nom de « cistercien ». Il fut envoyé de Cîteaux quelques années plus tard pour fonder l'abbaye de Fontenay, également en Bourgogne, dont il devint le premier abbé. Les cisterciens se considéraient comme un ordre réformateur des

**Ci-contre :** l'abbaye vue de l'est : à gauche l'aile est du cloître, à droite l'église avec les chapelles du transept et le chœur.

bénédictins ; ils remanièrent le style de vie monastique ainsi que le mode de construction de l'abbaye, au même titre que la règle bénédictine édictée par saint Benoît de Nursie : cette dernière se fit plus stricte et ascétique. Bernard de Clairvaux est souvent considéré à tort comme le fondateur de l'ordre des cisterciens, alors qu'il s'agit en fait de Robert de Molesme, Albéric de Cîteaux et Stephan Harding. Bernard fut cependant le personnage le plus important de l'ordre et son saint le plus important, il fut par ailleurs l'une des personnalités les plus influentes du XIIe siècle.

L'église abbatiale de Fontenay est l'église cistercienne la plus ancienne de France. Le cloître, qui est splendide dans son dépouillement, est considéré comme le plus bel élément de l'abbaye. Bernard refusait tout ornement dans les églises car, d'après lui, cela détournait les croyants de la prière et du recueillement.

## EN BREF

**1118**
Fondation de l'abbaye
**1130-1147**
Construction de l'église abbatiale
**1174**
Canonisation de Bernard par le pape Alexandre III
**1906**
Édouard Aynard achète l'abbaye et lance des travaux de restauration qui durent jusque dans les années 1990
**1981**
Inscription au patrimoine mondial de l'Unesco
**20 août**
Jour de la Saint-Bernard

**En bas, à gauche :** intérieur de l'église abbatiale : bel exemple de l'austérité de l'esthétique cistercienne.

**Ci-dessous :** la salle capitulaire, une salle de réunion dépouillée d'une grande beauté.

FRANCE

# Abbaye Sainte-Foy de Conques

LA PRÉSENCE DES RELIQUES DE SAINTE FOY DANS L'ABBAYE ÉPONYME DU Xe SIÈCLE A FAIT DE CONQUES, DANS LE SUD-OUEST DE LA FRANCE, L'UNE DES STATIONS LES PLUS IMPORTANTES SUR LA ROUTE DE SAINT-JACQUES-DE-COMPOSTELLE.

Les ossements de saint Jacques furent découverts à Compostelle à peu près à l'époque où l'ermite Dadon construisit, sans doute grâce à des dotations de Charlemagne, la première église sur le site où fut édifiée plus tard l'abbaye romane consacrée à sainte Foy, une jeune martyre de 12 ans. Des foules de pèlerins empruntaient la via Podensis, le chemin français du pèlerinage de Saint-Jacques-de-Compostelle, pour se rendre en Espagne. Les lieux situés sur cette route prirent eux-mêmes de l'importance et s'enrichirent, surtout grâce aux dons des pieux pèlerins. À la même époque, le monastère d'Agen avait en sa possession les reliques de sainte Foy, jeune fille persécutée et décapitée en 303 sous l'empereur Dioclétien. Ces reliques firent d'Agen une station importante du pèlerinage. Arosnide, un moine de Conques, vécut pendant 10 ans chez ses frères à Agen jusqu'à pouvoir se rapprocher suffisamment des reliques pour les dérober et les rapporter à Conques où elles sont conservées depuis la fin du IXe siècle dans une statue reliquaire en or. Ce pieux larcin détourna les foules de pèlerins d'Agen vers Conques, et l'abbaye de Sainte-Foy devint un lieu sacré. Les pèlerins et les rois lui firent don de pierres précieuses, qui furent serties dans la statue. La construc-

**EN BREF**

**819**
Fondation de l'abbaye
**896**
Transfert des reliques de sainte Foy d'Agen à Conques
**1120**
Achèvement de l'église actuelle
**1537**
Sécularisation de l'abbaye
**1875**
Redécouverte du trésor de l'abbaye
**1950**
Fin des travaux de restauration
**1998**
Inscription de la via Podensis, la route du Puy, au patrimoine mondial de l'Unesco
**6 octobre**
Jour de la Sainte-Foy

**Page ci-contre :** le tympan du portail de l'église, où figure une représentation du Jugement dernier, est l'une des plus importantes sculptures romanes.

**Ci-contre :** la statue de Foy attirait autrefois des foules de pèlerins ; elle est l'un des reliquaires les plus précieux du début du Moyen Âge.

tion de la nouvelle église de Sainte-Foy put finalement commencer sous l'abbatiat d'Odolric ; elle fut achevée en 1120. Conques perdit cependant son importance à la fin des grandes croisades et pendant les guerres de religion du XVIe siècle, et amorça un lent déclin. La Révolution française entraîna la dissolution définitive de l'abbaye en 1789.

**Le Jugement dernier.** Le grand tympan du Jugement dernier au-dessus de l'entrée principale de l'abbatiale, qui fut construite de 1107 à 1125 sous l'abbé Boniface, est particulièrement remarquable. Le relief représente de manière très vivante non seulement des personnages bibliques, mais aussi des abbés, des rois et des évêques – dont un grand nombre parmi les damnés. Autour de la figure centrale du Christ sont disposés, sur la droite, les pécheurs voués à l'Enfer, sur la gauche, les élus accueillis par les anges, en dessous l'archange saint Michel et le diable pèsent les âmes. Le moine voleur Arosnide figure dans un coin en bas à gauche : son larcin fut ainsi immortalisé dans la pierre.

**Ci-dessous :** Conques, le village et l'abbatiale dans un environnement rural.

FRANCE

# Mont-Saint-Michel

LE MONT-SAINT-MICHEL EST UN PETIT ÎLOT ROCHEUX SITUÉ EN NORMANDIE PRÈS D'AVRANCHES. TELLE UNE MÈRE PROTÉGEANT SES PETITS, L'ANCIENNE ABBAYE BÉNÉDICTINE TRÔNE AU SOMMET DE L'ÎLE.

Le petit rocher de Mont-Tombe, nom donné à cet îlot d'un diamètre d'environ 1 km, fut aménagé au VI<sup>e</sup> siècle avec la construction de deux oratoires et occupé par quelques ermites. Cette première colonie monastique précéda l'édification de la première abbaye au VIII<sup>e</sup> siècle. D'après la légende, l'archange saint Michel serait apparu en 708 à l'évêque d'Avranches, Aubert, et lui ordonna d'élever une église sur le rocher. Aubert ignora dans un premier temps cette demande, alors l'archange lui perça de son doigt un trou dans le crâne. Convaincu par cette injonction suprême, Aubert fit débuter les travaux de construction. Le 16 octobre 709, le nouveau sanctuaire Saint-Michel fut consacré. Il reçut des reliques provenant du Monte Gargano, en Italie, et fut baptisé « Mont-Saint-Michel ». Autrefois, le chemin menant à l'île était immergé à marée haute et l'on ne pouvait l'atteindre qu'à marée basse. Comme la marée montait très rapidement, les victimes furent nombreuses à l'époque des grands pèlerinages, circonstance qui accrut la difficulté et donc l'intérêt du pèlerinage.

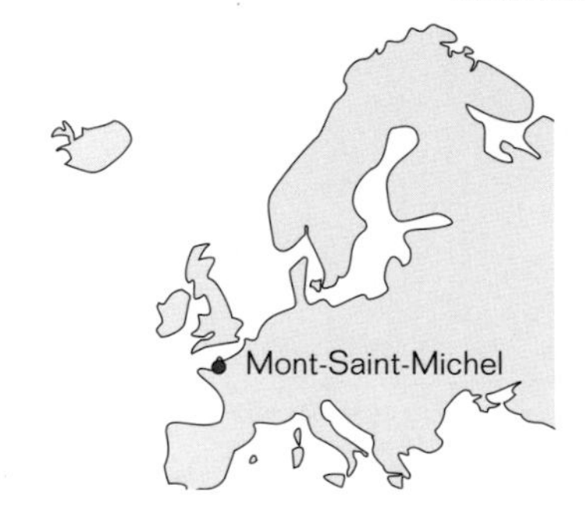


**Une importance supranationale.** Les Normands s'emparèrent de la péninsule du Cotentin en 933 et intégrèrent le Mont-Saint-Michel à l'intérieur des nouvelles

**EN BREF**

**708**
Début de la construction de l'abbaye
**1023**
Début de la construction de l'église romane
**1204**
Construction d'un cloître gothique et d'un réfectoire
**1789**
Révolution française et transformation de l'abbaye en maison d'arrêt
**1836**
Appel de Victor Hugo pour la sauvegarde du Mont-Saint-Michel
**1863**
Fermeture de l'abbaye, l'île devient un monument historique.
**1979**
Inscription au patrimoine mondial de l'Unesco

**Page ci-contre :** vue de l'abbaye du Mont-Saint-Michel depuis le sud. Le sanctuaire dédié à saint Michel est l'un des sites touristiques les plus visités de la Normandie.

**Ci-contre :** alors que la nef romane a été préservée, le chœur, qui s'était écroulé en 1421, fut reconstruit de 1446 à 1521 suivant le nouveau style gothique.

frontières de l'Angleterre. Grâce aux donations importantes du duc de Normandie Richard III, la construction d'une nouvelle église romane sur un axe est-ouest put commencer en 1023 sous l'abbatiat d'Hildebert. Elle fut placée par l'architecte italien Guglielmo di Volpiano au sommet du mont. Pour soutenir l'architecture inhabituelle de l'église, des cryptes et des chapelles souterraines furent aménagées.

Au XIIe siècle, Robert de Thorigny, comte de Normandie, fit édifier la façade principale de l'église et, en 1204, grâce aux subventions du roi Philippe II de France, un cloître gothique et un réfectoire furent ajoutés au complexe. L'abbaye du Mont-Saint-Michel influença de nombreuses autres abbayes, notamment Saint Michael's Mount, dans les Cornouailles, en Angleterre. Le rayonnement et l'importance de l'abbaye diminuèrent néanmoins après la Réforme et, à l'époque de la Révolution française, il n'y avait presque plus de moines sur le mont. L'abbaye fut fermée et transformée en maison d'arrêt. Les pèlerins autrefois si nombreux ont aujourd'hui cédé la place aux touristes.

**Ci-dessous :** le cloître fut achevé en 1228. Ses arcades sont disposées en deux rangées décalées l'une par rapport à l'autre.

FRANCE, CHARTRES

# Cathédrale Notre-Dame

PLUSIEURS ÉGLISES AVAIENT DÉJÀ ÉTÉ BÂTIES À L'ENDROIT OÙ FUT ÉDIFIÉE EN 1094 L'UNE DES PLUS IMPRESSIONNANTES CATHÉDRALES GOTHIQUES DU MONDE : LA CATHÉDRALE NOTRE-DAME DE CHARTRES.

Chartres se trouve à seulement 90 km de Paris, sur les bords de l'Eure. Au milieu de la ville se dresse une colline sur laquelle se trouvait très vraisemblablement un centre cultuel avant l'ère chrétienne.

De nombreuses légendes furent inventées pour expliquer l'importance du site. Il est attesté que des édifices antérieurs à la cathédrale y furent construits de manière presque permanente à partir du IXe siècle. Dans son apparence actuelle, la cathédrale date en grande partie des XIIe et XIIIe siècles. Seuls quelques éléments de la façade ouest ont survécu à l'incendie de la ville en 1194 ; cette catastrophe fut interprétée comme un appel de la Vierge à construire en son honneur une église plus grande et plus majestueuse afin d'offrir un abri convenable à la relique principale : la tunique que Marie aurait portée lors de la naissance du Christ.

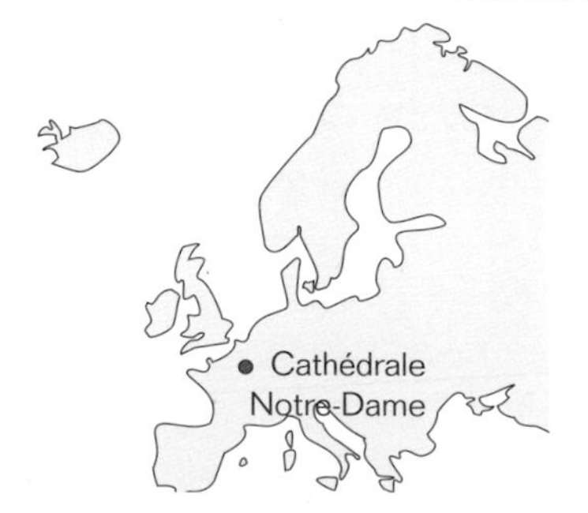


**Le miracle de la statue de la Vierge.** L'incendie de 1194 fait l'objet d'une légende qui confirme l'action miraculeuse de la mère de Dieu : le village et l'église furent en grande partie détruits lors d'un terrible incendie qui dura plusieurs jours et résista à toutes les tentatives d'extinction. Néanmoins, on retrouva intact dans la crypte, sous les décombres, le manteau de la Vierge que le petit-fils de Charlemagne avait donné à l'église en 876.

Page ci-contre : l'imposante cathédrale domine les maisons environnantes dans le centre-ville. En s'approchant de la ville, on aperçoit de loin la grandiose cathédrale.

**Ci-contre :** les rosaces de la cathédrale comptent parmi les plus belles et les plus précieuses de toutes les merveilles de la très productive architecture gothique.

**EN BREF**

Plus grande crypte de France, sous la cathédrale, tunique de la Vierge Marie dans la chapelle Vendôme
172 vitraux d'une superficie totale de 2600 m$^2$
**Longueur :**
130,2 m
**Hauteur de la nef :** 37,5 m
**Hauteur des tours :**
103 et 112 m
**Période de construction :**
1194-1220
**1979**
Inscription au patrimoine mondial de l'Unesco

**Chartres, une cathédrale modèle.** La taille inhabituelle et les éléments stylistiques de la cathédrale ont fait de Chartres un modèle pour plusieurs édifices ultérieurs. Les vitraux plongent l'intérieur dans une lumière bleue quasi-mystique. Avec ceux de la cathédrale de Bourges, les vitraux de Chartres forment l'ensemble le plus important de cet art.

Les sculptures de la cathédrale de Chartres sont également remarquables : les trois portails occidentaux très serrés marquèrent les débuts de la sculpture ornementale gothique française. Notre-Dame de Chartres est, après Notre-Dame de Paris, l'église la plus célèbre de France. En plus de son importance historique et artistique, elle attire de très nombreux visiteurs, qui y voient encore un lieu énergétique sacré d'une grande spiritualité.

**Ci-dessus :** les contreforts massifs sur les murs extérieurs ont permis l'ouverture de très grandes fenêtres.

**Ci-contre :** l'intérieur de la cathédrale à partir de l'est.

FRANCE

# Lourdes

EN 1858, BERNADETTE SOUBIROUS, ALORS ÂGÉE DE 14 ANS, EUT UNE VISION DE LA VIERGE AU-DESSUS D'UN ROSIER EN FLEURS. MIS À PART UN SIGNE DE SON AMOUR – UNE SOURCE MIRACULEUSE – ELLE NE TRANSMIT NI GRANDE DÉCLARATION, NI EXHORTATION.

Les récits d'apparitions de la Vierge se multiplièrent à partir de 1830. Selon l'Église catholique, Marie apparaît à ses enfants lorsque ceux-ci se sont détournés de la foi. Le 13 février 1858, le Vierge apparut à Lourdes et ne prononça qu'un seul mot : « Pénitence ! », mais elle laissa aussi un signe de son pouvoir guérisseur : une source jaillit à l'endroit où elle était apparue et fit de Lourdes un lieu de guérisons miraculeuses. La source de Lourdes est connue dans le monde entier, les lettres de remerciement écrites par des miraculés sont innombrables. Marie est apparue en tout 18 fois à Lourdes, soit plus souvent que dans l'histoire antérieure des apparitions de la Vierge et plus jamais autant par la suite. Lors de sa quatrième apparition, elle dit à Bernadette Soubirous : « Veuillez avoir la grâce de venir ici pendant quinze jours. Je ne vous promets pas de vous rendre heureuse en ce monde mais dans l'autre. » Au fur et à mesure des apparitions, la Vierge révéla une série de secrets à la jeune fille, que cette dernière emporta toutefois avec elle dans la tombe car elle avait promis de ne jamais les révéler.

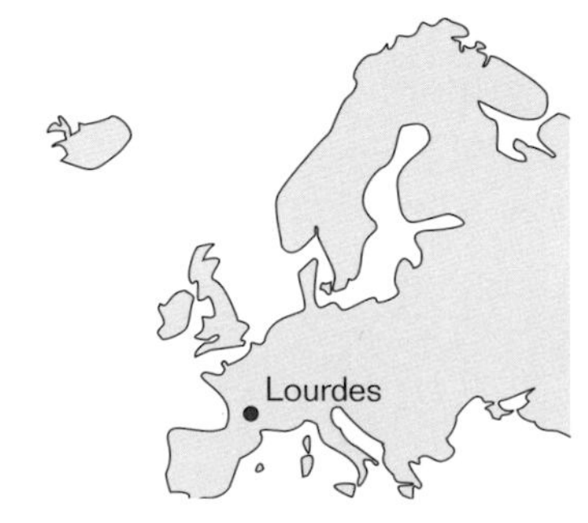


**Bernadette Soubirous.** Bernadette Soubirous mourut le 7 avril 1879 à l'âge de 36 ans et fut enterrée dans la chapelle Saint-Joseph à Nevers. Son cercueil fut ouvert en

**EN BREF**

**11 février**
Fête de Notre-Dame de Lourdes

**Guérisons**
80 % des personnes guéries sont des femmes ; plus de 7 000 guérisons médicales spectaculaires ont été documentées à ce jour, dont environ 2 000 par des médecins qui les considèrent comme inexpliquées. 68 ont été déclarées « guérisons miraculeuses » par l'Église catholique après un examen scrupuleux. La dernière guérison fut celle de Jean-Pierre Bély en 1987, il souffrait d'une sclérose en plaque.

**Page ci-contre :** la petite ville située dans les contreforts des Pyrénées au sud de Tarbes est régulièrement envahie par des foules de pèlerins.

**Ci-contre :** cette statue de la Vierge dans une grotte rappelle le miracle des apparitions de Marie au XIX^e siècle qui rendirent le lieu célèbre dans le monde entier.

1908. Le corps de Bernadette était intact, on aurait dit qu'elle venait de mourir, les veines de son avant-bras étaient bleutées et ressortaient légèrement, les ongles de ses doigts étaient rosés et sains. La peau de son visage avait légèrement noirci. On ouvrit de nouveau son cercueil en 1919 : sa dépouille ne présentait toujours aucune trace de décomposition, elle avait la même apparence qu'en 1908. Son corps fut recouvert d'une fine couche de cire et exposé dans une châsse dans la chapelle des sœurs de Nevers. Bernadette fut canonisée en 1933 par le pape Pie XI.

Lourdes devint au cours des années suivantes l'un des lieux de pèlerinage les plus importants de l'Église catholique. Des millions de pèlerins se rendent à Lourdes dans l'espoir d'être guéris de leurs souffrances dans les sources sacrées. La première guérison eut lieu en 1858, lorsque Catherine Latapie Chourat sortit son bras paralysé de l'eau : il était guéri.

**Ci-dessous :** l'eau miraculeuse et la Vierge guérisseuse sont souvent les derniers espoirs des nombreux malades qui endurent les difficultés du voyage jusqu'à Lourdes.

ESPAGNE

# Saint-Jacques-de-Compostelle

FINISTERRE, LA FIN DU MONDE : C'EST LE NOM QUE LES ROMAINS DONNAIENT À LA CÔTE NORD-OUEST DE LA GALICE EN ESPAGNE. UNE ÉGLISE Y FUT CONSTRUITE AU-DESSUS DE LA TOMBE PRÉSUMÉE DE SAINT JACQUES, ELLE EST L'ULTIME STATION DE L'UN DES PÈLERINAGES LES PLUS IMPORTANTS DU MONDE.

Depuis plus d'un millénaire, des millions de chrétiens venus de toute l'Europe empruntent le chemin de Saint-Jacques pour rejoindre la cathédrale de Saint-Jacques-de-Compostelle, sous l'autel de laquelle se trouverait la tombe de l'apôtre Jacques. D'après la légende, Jacques, après des missions infructueuses en Espagne, serait retourné à Jérusalem, où, en tant que chrétien, il fut emprisonné sous Hérode, puis décapité. Ses disciples mirent la dépouille dans un bateau et, avec l'aide des anges, l'apôtre aurait été transporté en Espagne et enterré ici. Ce récit apparaît dans des manuscrits latins dès le VIIe siècle. La légende plus détaillée figure dans le célèbre guide du pèlerin de Saint-Jacques-de-Compostelle tiré du *Liber Sancti Jacobi*, le *Livre de Saint Jacques*, datant du milieu du XIIe siècle. Vers 800, précise la légende, une lumière éblouissante signala la tombe oubliée et entraîna sa redécouverte. Charlemagne y est nommé comme étant le premier pèlerin de Saint-Jacques. Son nom est par ailleurs associé aux débuts de la répression des Maures. Jacques y est présenté sur un cheval blanc comme chef de l'armée céleste contre les Maures.

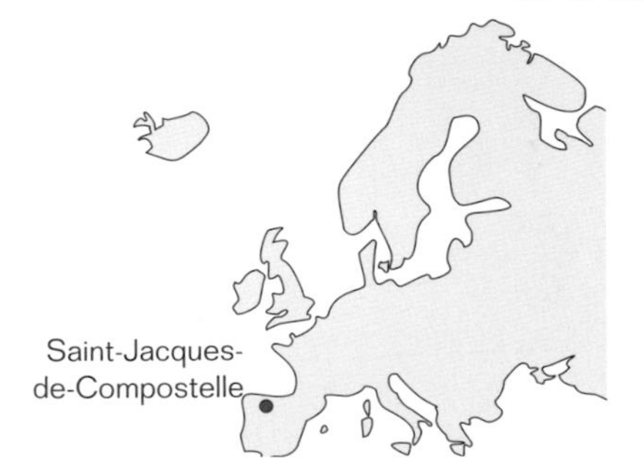


**Le chemin de Saint-Jacques.** La légende de Jacques a toujours été mise en doute, ce qui n'empêcha pas Saint-

**EN BREF**

**899**
Consécration d'une basilique au-dessus de la tombe de saint Jacques
**997**
Destruction de la basilique par les Sarrasins
**1077**
Reconstruction de l'église détruite
**1211**
Consécration de la nouvelle basilique
**1738**
Façade baroque de la cathédrale
**1985**
Inscription au patrimoine mondial de l'Unesco

**En haut, à gauche et à droite :** on atteint le terme du pèlerinage au Pórtico de la Gloria, œuvre romane du maître Mateo.

Plusieurs portails de l'église sont ornés de sculptures, destinées aussi à l'éducation morale des visiteurs.

Jacques-de-Compostelle d'être, après Rome et Jérusalem, le troisième lieu de pèlerinage catholique. Le chemin qui y conduit, le Camino de Santiago, est aujourd'hui connu de tous et les pèlerins, originaires du monde entier et issus de toutes les religions, le parcourent vraiment à pieds. Munis d'un bâton, d'un chapeau et d'une coquille Saint-Jacques, symbole du saint, ils marchent environ 800 km de Roncevaux, à la frontière française dans les hauteurs des Pyrénées, jusqu'à Saint-Jacques-de-Compostelle.

Lorsque la Saint Jacques, le 25 juillet, tombe un dimanche, l'année est proclamée « Année Sainte Compostellane ». Après de longues privations, les pèlerins entrent dans la cathédrale par le Pórtico de la Gloria, l'impressionnant portail roman, et, pendant la messe du pèlerin, ils contemplent la cérémonie du *botafumeiro* : l'immense encensoir oscille grâce à la force conjuguée de huit hommes qui le balancent au bout d'une corde de 30 m de longueur pour l'élever dans la voûte du transept sous les applaudissements des pèlerins – à Saint-Jacques, le sacré est une expérience de tous les sens.

**Page ci-contre :** pour les chrétiens, le pèlerinage est la métaphore de toute la vie humaine : cheminer vers Dieu et vers la vie éternelle.

**Ci-contre :** la façade de l'église fut modernisée en 1738 dans le style baroque espagnol. Les sculptures montent jusqu'à la pointe des tours.

ESPAGNE

# Abbaye de Montserrat

« LA MORENETA », TEL EST LE SURNOM QUE LES ESPAGNOLS DONNENT À LA STATUE EN BOIS DE LA VIERGE NOIRE DE L'ABBAYE MONTSERRAT QUI SE TROUVE À PLUS DE 1 000 M D'ALTITUDE DANS LES MONTAGNES ESCARPÉES ET SAUVAGES DES ENVIRONS DE BARCELONE.

Le monastère de Montserrat attire des pèlerins du monde entier depuis le XIIIe siècle. Ils sont aujourd'hui jusqu'à 3 millions par an à emprunter le chemin de ces montagnes abruptes. Les pèlerins viennent ici pour voir la petite statue romane de la Vierge noire qui date de la fin du XIIe siècle et se recueillir à ses pieds. La couleur foncée de cette sculpture est due au noircissement des différentes couches de couleurs qu'elle a reçues au fil du temps. D'après les croyances catholiques, la statue de la Vierge aurait été sculptée par Luc l'Évangéliste en 50 ap. J.-C. Pendant la domination maure de la péninsule ibérique, elle fut cachée dans la Santa Cova, la grotte sacrée, où elle ne fut retrouvée qu'en 880. Une légende du XIIIe siècle veut qu'elle ait été découverte par des bergers qui avaient vu une lumière claire accompagnée d'une mélodie céleste : les jeunes hommes suivirent ces signes qui les conduisirent à la grotte et donc à la statue. L'évêque de Manresa, une ville située sur l'autre versant de la montagne, voulut emporter la statue dans sa ville, mais elle se révéla trop lourde pour être transportée – elle ne put même pas être soulevée. L'Église catholique interpréta cela comme l'expression du souhait de la Vierge de rester à Montserrat et d'y être honorée.

**EN BREF**

**1015**
Première mention de l'église à l'époque d'Oliba, abbé de Ripoll et évêque de Vic

**1592**
Consécration de la grande basilique de Montserrat

**Fin du XVIIIe siècle**
Destruction presque totale pendant les guerres napoléoniennes

**1881**
Le pape Léon XIII proclame la Vierge noire de Montserrat sainte patronne de la Catalogne

**Page ci-contre :** les rochers sont un refuge idéal pour les ermites. Ce sont en effet des ermites qui auraient été les premiers sur le site de la future abbaye au début du Moyen Âge.

**Ci-contre :** la Vierge noire de Montserrat fait l'objet de nombreuses légendes qui remontent jusqu'au Ier siècle ap. J.-C. Elle a pourtant été sculptée à la fin du XIIe siècle.

**Des pèlerins du monde entier.** Des quatre chapelles qui existaient au IXe siècle sur le massif montagneux de Montserrat, il n'en existe plus qu'une aujourd'hui : San Acisclo. L'existence d'une abbaye bénédictine, Santa Cecília, y est attestée depuis 899. Il s'agissait dans un premier temps d'une colonie de sœurs venant de l'abbaye bénédictine de Ripoll. L'histoire du monastère n'est cependant pas l'élément qui importe le plus aux visiteurs. À leurs yeux, la sacralité du lieu vient de la Vierge noire. On attribue à cette dernière de nombreux miracles qui se seraient produits ici, dans les montagnes. Dans le Nouveau Monde, au Mexique, au Chili et au Pérou, de nombreuses églises de mission ont été consacrées à la Vierge noire. Plusieurs saints et papes ont fait le pèlerinage de Montserrat, dont saint Ignace de Loyola qui écrivit ici ses *Exercices spirituels*. L'abbaye fut aménagée au XVIIIe siècle, le nombre de pèlerins ayant dépassé sa capacité d'accueil. Aujourd'hui, environ 80 moines vivent encore dans l'abbaye et vénèrent la Vierge dans la basilique.

**Ci-dessous :** depuis le monastère (à 720 m d'altitude), plusieurs chemins mènent au point culminant de la montagne de grès, le Sant Jeroni, à 1 236 m d'altitude.

PORTUGAL

# Fátima

EN 1917, PENDANT LA PREMIÈRE GUERRE MONDIALE, LA VIERGE APPARUT À TROIS ENFANTS BERGERS DANS LE NORD DU PORTUGAL. AU COURS DES MOIS SUIVANTS, L'APPARITION SE RÉPÉTA PLUSIEURS FOIS, LE 13 DE CHAQUE MOIS. FÁTIMA EST AUJOURD'HUI LE LIEU DE PÈLERINAGE LE PLUS SACRÉ DU PORTUGAL.

Le 13 mai 1917, la Mère de Dieu est apparue à trois enfants bergers au-dessus d'un chêne rouvre non loin de la petite ville de Fátima, située dans le nord du Portugal. Les enfants virent d'abord un éclair, puis purent contempler la Vierge, qui rayonnait d'une lumière encore plus vive. D'après les récits des petits bergers, la Vierge portait une robe d'un blanc très pur, elle tenait un rosaire de perles blanches dans les mains, et un manteau brodé d'or lui couvrait la tête et le corps. Lúcia dos Santos, âgée de dix ans, l'aînée des trois enfants, dira plus tard : « Elle mesurait à peine plus d'un mètre et avait environ dix-huit ans. » La Vierge ne s'entretint qu'avec Lúcia ; Jacinta Marto, neuf ans, l'entendit parler, mais pas son frère Francisco, qui n'avait que sept ans. La « dame » leur demanda de revenir précisément le 13 de chaque mois au même endroit de la Cova da Iria, près du village, toujours à la même heure. Le message de la Vierge était toujours le même : « Priez, priez, priez, faites pénitence, implorez le pardon de vos péchés. » Tous les 13 du mois, la foule fut plus nombreuse sur le site des apparitions pour témoigner de l'acte sacré et, en octobre, plus de 70 000 personnes virent le soleil au zénith se mettre à tournoyer rapidement.

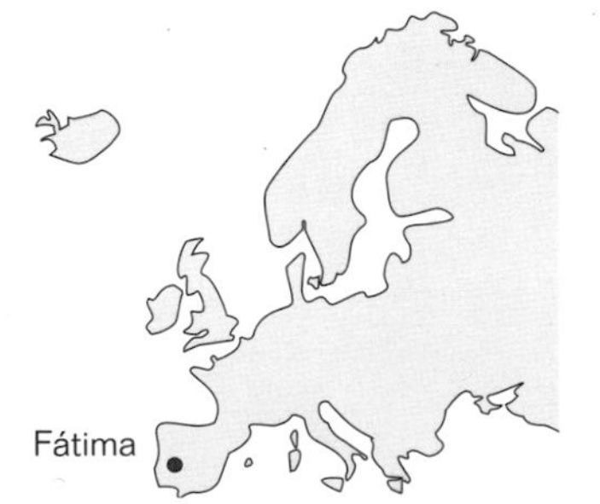

**EN BREF**

Fátima se trouve à 135 km au nord de Lisbonne et compte 9 500 habitants environ. Chaque année plus de 4 millions de pèlerins viennent à Fátima

**Église de la Trinité :** 12 315 m$^2$ environ 8 650 places. Il y a en tout 13 portes car les apparitions eurent lieu le 13 de chaque mois ; chaque porte pèse 3,5 t

**Page ci-contre et à droite :** bien que l'église et son parvis soient de très grande taille, Fátima est très régulièrement surpeuplée lors des grands événements, par exemple la visite du pape. Jean-Paul II, qui entretenait une relation particulière avec ce lieu de pèlerinage, est venu trois fois à Fátima.

Lúcia dos Santos reçut en 1927 la permission divine de révéler les deux premiers « secrets », qui prédisaient la Seconde Guerre mondiale, ainsi que la montée puis le déclin du communisme russe. Elle n'écrivit le troisième secret qu'en 1942, mais ce dernier fut divulgué en 2000. Il contient la vision de l'assassinat du pape et d'autres dignitaires ecclésiastiques sous une croix. Notons à ce sujet que le pape Jean-Paul II remercia la Vierge d'avoir survécu à l'attentat dont il avait été victime le 13 mai 1981, jour anniversaire de l'apparition de la Vierge à Fátima.

**L'église de la Trinité.** L'église de la Trinité, l'une des plus grandes églises du monde, fut consacrée le 13 octobre 2007, pour le quatre-vingt-dixième anniversaire du miracle solaire, dans « l'arène de la foi », nom officiel du pèlerinage dans les cercles ecclésiastiques. Elle fut conçue par l'architecte grec Alexandros Tombazis. Avec un diamètre de 125 m, elle peut accueillir plus de 8 000 fidèles. Fátima est aujourd'hui l'un des lieux de pèlerinage les plus visités du monde.

**Ci-dessous :** la balle qui a touché le pape Jean-Paul II a été enchâssée dans la couronne de la Vierge de Fátima – afin de remercier la mère de Dieu pour sa survie.

ITALIE

# Assise

LA PITTORESQUE VILLE D'ASSISE, LIEU DE NAISSANCE DE SAINT FRANÇOIS D'ASSISE, FONDATEUR DE L'ORDRE DES FRANCISCAINS, L'UN DES SAINTS PRÉFÉRÉS DE L'HISTOIRE DE L'ÉGLISE CATHOLIQUE ET SAINT PATRON DE L'ITALIE, SE SITUE À UNE ALTITUDE DE 400 M DANS LES MONTAGNES DE L'OMBRIE.

Saint François, qui avait pour nom de naissance Giovanni Bernardone, était fils d'un riche marchand d'Assise. Il changea de vie à l'âge de 24 ans après avoir entendu les paroles de l'évangile de Matthieu au cours d'une messe. Il comprit qu'il devait quitter sa famille, abandonner toutes ses possessions et se consacrer à œuvrer pour le bien. Prêchant la pauvreté et le dénuement, il parcourut toute l'Italie. En 1209-1210, il fonda avec 12 disciples l'ordre des frères mineurs. Claire rejoignit l'ordre en 1212, elle aussi souhaitait vivre dans le dénuement total et se consacrer à l'amour d'autrui. Ils fondèrent ensemble la communauté des Clarisses à San Damiano, près d'Assise. Claire d'Assise fut canonisée après sa mort. Se basant sur l'évangile, François rédigea la règle des franciscains qui fut approuvée par le pape Honorius III en 1223. L'extrême pauvreté prônée par saint François fut néanmoins reprise sous une forme plus modérée. Alors qu'il s'était retiré en ermite dans les montagnes, il eut une vision en 1224 et les stigmates, les cinq blessures du Christ, apparurent pour la première fois sur son corps. François ne les montra jamais publiquement, on ne les vit qu'à sa mort en 1226. De nombreuses légendes sont liées à la vie de ce saint populaire.

**Page ci-contre :** San Francesco in Assisi. La dépouille mortelle de saint François a été transférée dans l'église inférieure en 1230. Un lieu de repos éternel plus modeste aurait sans doute été plus conforme à son idéal de pauvreté.

**Un pèlerinage sacré.** La ville d'Assise, qui compte 3 000 habitants, est depuis des siècles l'un des lieux de pèlerinage les plus importants d'Italie. La basilique San Francesco, qui abrite les reliques du saint, est le principal monument qui attire des millions de pèlerins et d'amateurs d'art. Ces derniers viennent chaque année pour admirer les fresques de Giotto et d'autres artistes qui représentent la vie du saint et font de la basilique l'une des plus belles églises d'Italie.

François fut canonisé le 16 juillet 1228 et le pape Grégoire IX posa la première pierre de l'église le jour même. Le corps de saint François fut transféré dans l'église en 1230. Il fut inhumé en toute hâte et sous de strictes conditions de sécurité pour éviter le vol de ses reliques. Son squelette entièrement intact ne fut découvert sous le maître-autel qu'en 1818. En 1997, un tremblement de terre toucha Assise et le plafond de la basilique s'effondra en faisant quatre victimes. Les célèbres fresques ne furent pas endommagées et, depuis 1999, on peut de nouveau les admirer dans toute leur splendeur.

**EN BREF**

**1181**
Naissance de Giovanni Bernardone, connu sous le nom de François
**1204**
Guerre contre Pérouse, emprisonnement
**1214-1215**
Voyages en Italie, en France et en Espagne
**1219**
Participation à la cinquième croisade, François va en Égypte
**1226**
Mort de François le 3 octobre 1226
**2000**
Inscription au patrimoine mondial de l'Unesco

**En haut et ci-contre :** l'église supérieure abrite les célèbres fresques illustrant des épisodes de la vie du saint, dont la scène dramatique pendant laquelle François donna son habit à son père et quitta sa famille.

ITALIE, FLORENCE

# Santa Maria Novella

CETTE ÉGLISE ÉTAIT JADIS LE CENTRE DE PRÉDICATION DES DOMINICAINS. ON RECEVAIT ICI EXHORTATION, RÉCONFORT ET SALUT DANS L'ENSEIGNEMENT DE LA PAROLE DE DIEU ET PAR L'ADMIRATION DES NOMBREUSES ŒUVRES D'ARTISTES MAJEURS.

L'église florentine Santa Maria Novella attire aujourd'hui surtout les visiteurs pour ses œuvres d'art : sa façade Renaissance de Leon Battista Alberti, écrivain, philosophe, architecte et théoricien de l'architecture et de l'art, est considérée comme un chef-d'œuvre de l'architecture mondiale, et la célèbre fresque de la Trinité de Masaccio comme l'une des premières œuvres de la peinture de la Renaissance. L'église a cependant été construite au Moyen Âge ; par sa grandeur et son dépouillement, elle est exemplaire du gothique italien. Les dominicains, réputés pour leurs talents d'orateurs, y prêchaient autrefois devant de vastes assemblées.

**L'intellectualisme des dominicains.** Contrairement aux franciscains, les dominicains formèrent dès le début un ordre clérical. Le fondateur de l'ordre, saint Dominique (1170-1221), avait beaucoup voyagé pour prêcher contre les hérétiques, en particulier les Cathares très répandus dans le sud de la France. Aidé d'un cercle de collaborateurs, il fonda en 1215 à Toulouse le premier couvent clérical. Conscient de l'importance de la formation et des prédispositions rhétoriques des prédicateurs, il envoya ses frères toulousains étudier à Paris où ils fondèrent un autre couvent et choisit la ville universitaire de Bologne

**Page ci-contre :** la fresque *Triomphe de l'Église* d'Andrea Bonaiuti (da Firenze) dans la chapelle des Espagnols présente les dominicains : ce sont eux qui peuvent montrer la voie du salut aux hommes.

**Ci-contre :** une œuvre d'art majeure de l'architecture : la façade Renaissance de Leon Battista Alberti commencée en 1458 pour l'église médiévale.

pour ouvrir lui-même un troisième couvent. À cette époque, l'exégèse de la foi se faisait de plus en plus dans les grandes écoles de théologie ; ses frères prédicateurs pouvaient donc non seulement y recevoir la meilleure des formations, mais aussi assister aux débats intellectuels qui s'y tenaient. Les dominicains florentins arrivèrent de Bologne en 1221 pour fonder ici un nouveau couvent.

**La voie du salut.** L'ambition que les dominicains associaient à leurs actes s'exprime très clairement dans la fresque « Triomphe de l'Église » que le peintre Andrea Bonaiuti peignit vers 1367 dans la chapelle dite des Espagnols qui était autrefois la salle capitulaire du monastère. Elle montre la voie du salut que les hommes sur Terre peuvent emprunter pour aller au paradis céleste s'ils s'en remettent entièrement aux directives des dominicains représentés à différents endroits de la fresque sous la forme de personnages en train de prêcher et de montrer la voie.

**Ci-dessous :** Santa Maria Novella est l'une des plus grandes églises d'un ordre mendiant. La nef spacieuse permettait de prêcher devant de nombreux auditeurs.

**EN BREF**

**Longueur de l'église :** environ 100 m
**1246**
Premiers travaux de construction
**1360**
Achèvement des travaux par le dominicain Jacopo Talenti
**1365-1367**
Fresques de la chapelle des Espagnols réalisée par Andrea Bonaiuti (Andrea da Firenze)
**1425-1428**
Fresque de la Trinité de Masaccio
**À partir de 1458**
Modification de la façade par Alberti
**XVe siècle**
Autres fresques de Domenico Ghirlandaio et Filippino Lippi
**1982**
Inscription de la ville de Florence au patrimoine mondial de l'Unesco

ITALIE, ROME

# Vatican et basilique Saint-Pierre

« TU ES PIERRE ET SUR CETTE PIERRE JE BÂTIRAI MON ÉGLISE ! » DIT JÉSUS À PIERRE. LA BASILIQUE SAINT-PIERRE, L'UN DES LIEUX LES PLUS SACRÉS POUR LES CATHOLIQUES, SE TROUVE AUJOURD'HUI AU-DESSUS DE LA TOMBE DE L'APÔTRE.

Dans les Églises orthodoxe, anglicane et catholique romaine, Pierre est considéré comme un saint et vénéré comme le premier évêque de Rome. Pour l'Église catholique romaine, le « principe pétrinien » exprimé dans la parole de Jésus est devenu le fondement de la revendication d'hégémonie du pape sur toute l'Église.

Situé à l'intérieur de la ville de Rome, le Vatican est le plus petit État du monde. Son dirigeant, le pape, y règne en monarque absolu. La basilique Saint-Pierre, deuxième plus grande église du monde, trône au centre de cet État. L'État gouverné par le pape ne compte que 550 citoyens environ, mais leur nationalité est toujours limitée dans le temps et liée à une fonction ou un poste. Environ 3 000 personnes, employés et fonctionnaires, travaillent également au Vatican. L'État est protégé par une armée pontificale, la Garde suisse pontificale, qui est la plus petite armée du monde. Les papes n'ont cependant pas toujours résidé sur le *mons vaticanus* sur la rive droite du Tibre, où l'empereur Néron avait déjà fait construire son cirque. En 1378, l'histoire pontificale entra dans sa plus grande crise lors de la scission temporaire (le Grand Schisme) qui s'opéra au sein de l'Église catholique et qui dura jusqu'en 1417. Au cours de cette

**EN BREF**

**Système politique :** Monarchie élective absolue
**Superficie :** 0,42 km²
**324**
Construction de la première église Saint-Pierre
**1473-1483**
Construction de la chapelle Sixtine
**Jusqu'en 1541**
Décoration par Michel-Ange
**1506-1590**
Reconstruction de Saint-Pierre
**1656-1667**
Aménagement par Bernin
**1929**
Accords du Latran : règlement d'un conflit datant de 1870 entre Italie et Vatican. Fondation de l'État du Vatican
**1984**
Inscription au patrimoine mondial de l'Unesco

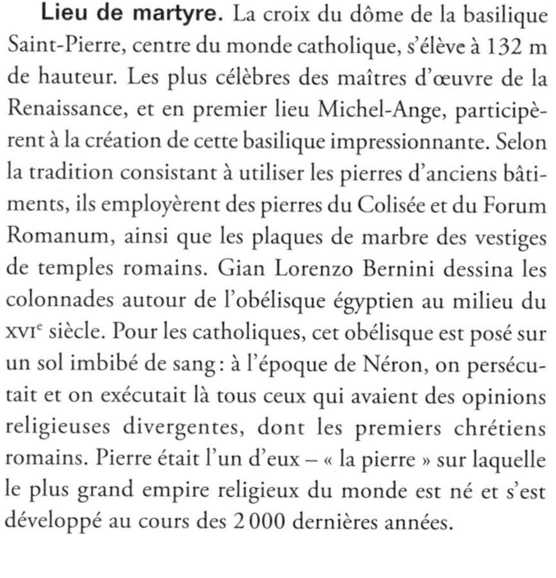

période, l'Église eut deux papes : l'un d'eux résidait en Avignon, l'autre à Rome.

**Lieu de martyre.** La croix du dôme de la basilique Saint-Pierre, centre du monde catholique, s'élève à 132 m de hauteur. Les plus célèbres des maîtres d'œuvre de la Renaissance, et en premier lieu Michel-Ange, participèrent à la création de cette basilique impressionnante. Selon la tradition consistant à utiliser les pierres d'anciens bâtiments, ils employèrent des pierres du Colisée et du Forum Romanum, ainsi que les plaques de marbre des vestiges de temples romains. Gian Lorenzo Bernini dessina les colonnades autour de l'obélisque égyptien au milieu du XVIe siècle. Pour les catholiques, cet obélisque est posé sur un sol imbibé de sang : à l'époque de Néron, on persécutait et on exécutait là tous ceux qui avaient des opinions religieuses divergentes, dont les premiers chrétiens romains. Pierre était l'un d'eux – « la pierre » sur laquelle le plus grand empire religieux du monde est né et s'est développé au cours des 2 000 dernières années.

**En haut, à droite :** la place Saint-Pierre cerclée d'une colonnade devant la basilique Saint-Pierre et la résidence du pape.

**En haut, à droite :** la basilique Saint-Pierre avec la façade de Carlo Maderna. Sa construction a duré plus d'un siècle.

**Ci-contre :** vue de l'intérieur sur le baldaquin de Gian Lorenzo Bernini, 1624-1633, en arrière-plan la chaire de saint Pierre.

ITALIE

# Sainte Maison de Lorette

DEPUIS LE MOYEN ÂGE, LA SAINTE MAISON DE LORETTE EST L'UN DES LIEUX DE PÈLERINAGE MARIAL LES PLUS VISITÉS AU MONDE. QUATRE MILLIONS DE CROYANTS VIENNENT ICI CHAQUE ANNÉE.

Selon le Nouveau Testament, Jésus fut élevé par sa mère Marie et son père Joseph dans la petite ville de Nazareth, dans la maison où Marie était née. Trois siècles après la mort de Jésus, l'empereur romain Constantin (vers 280-337), qui s'était converti à la foi chrétienne, fit construire une basilique au-dessus de cette maison, qui devint l'un des sanctuaires les plus importants de l'Église catholique.

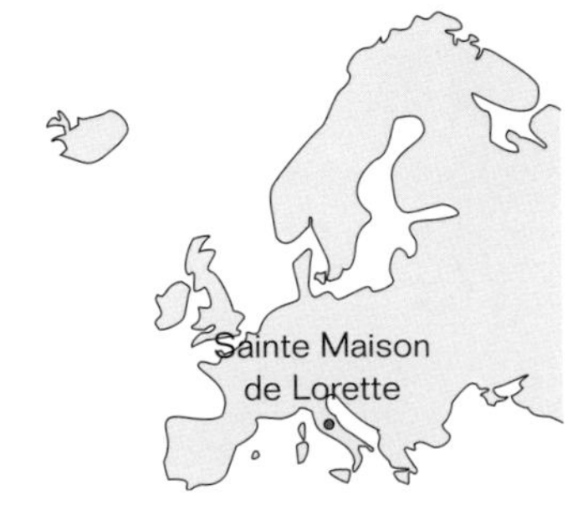


La Sainte Maison étant menacée par les croisades, elle fut, d'après la légende catholique, transportée en 1291 par des anges jusque sur le territoire de l'actuelle Croatie – un terrain vide apparut alors à Nazareth, tandis qu'en Croatie, une maison surgit sur un champ désert. Le prêtre du village que les bergers emmenèrent sur place eut une apparition de la Vierge, qui lui dit qu'il s'agissait de son ancienne maison de Nazareth. L'édifice fut de nouveau déplacé par des anges le 20 décembre 1294 lorsque des combattants musulmans pénétrèrent dans le pays. Il arriva peu après à Recanti, en Italie, mais fut ensuite très vite transféré jusqu'à son emplacement actuel, à Lorette. La *Santa Casa di Loreto* est désormais vénérée comme l'un des plus grands sanctuaires de la foi catholique et chaque année des millions de pèlerins viennent la visiter. De nombreuses guérisons ayant eu lieu ici ont été rapportées.

**EN BREF**

**1469**
Construction d'une basilique au-dessus de la Sainte Maison de Lorette
**1507**
Construction d'un écrin en marbre autour de la Santa Casa à l'intérieur de la basilique
**1510**
Début du pèlerinage de Lorette
**1910**
Notre-Dame de Lorette devient la patronne des aviateurs en raison de son transport par les anges depuis Nazareth
**10 décembre**
Fête de Notre-Dame de Lorette

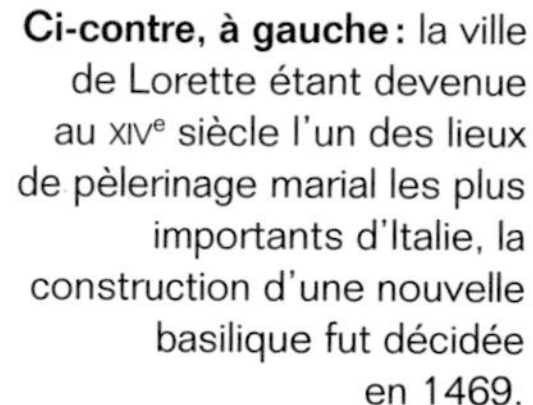

**Ci-contre, à gauche :** la ville de Lorette étant devenue au XIVe siècle l'un des lieux de pèlerinage marial les plus importants d'Italie, la construction d'une nouvelle basilique fut décidée en 1469.

**Controverses quant à l'authenticité de la Sainte Maison.** Les débats font rage depuis longtemps quant à l'authenticité de la *Santa Casa* ; quelques scientifiques ont prouvé que les matériaux de construction étaient identiques à ceux utilisés à Nazareth et que la maison ne possédait pas de fondation identifiable. Néanmoins, il n'existe à Nazareth aucun document attestant l'existence de la maison, ni aucun rapport sur sa disparition. On n'en parla qu'au XVIe siècle après que des informations furent arrivées d'Italie. Toutefois, il n'existe pas non plus en Italie d'acte antérieur au XVIe siècle attestant de la présence de la maison. L'explication la plus simple, acceptée par de nombreux catholiques, est la suivante : des pèlerins auraient transporté les vestiges de ladite maison de Nazareth à Lorette, où ils sont désormais adorés comme reliques. L'autel sur le mur est de la *Santa Casa* porte aujourd'hui l'inscription latine : *« Hic Verbum Caro Factum Est »* (« Ici le Verbe s'est fait chair »). La Sainte Maison reçut son écrin de marbre orné de nombreuses sculptures à la Renaissance.

**Ci-contre et en haut, à droite :** Andrea Sansovino reprit la direction des travaux à Lorette à partir de 1513. Il concentra son travail sur les sculptures décoratives de l'habillement en marbre de la Sainte Maison et créa avec d'autres artistes les nombreuses statues et les reliefs illustrant la vie de Marie.

GRÈCE

# Cnossos

CNOSSOS ÉTAIT LE CENTRE POLITIQUE ET RELIGIEUX DE LA CIVILISATION MINOENNE CRÉTOISE À L'ÂGE DU BRONZE, ROYAUME DU ROI MINOS ET SANCTUAIRE DU CULTE DU TAUREAU. LA LÉGENDE DU MINOTAURE FAIT APPARAÎTRE LE TAUREAU, ATTRIBUT DES DIEUX, SOUS LA FORME D'UN DÉMON.

Les premières traces d'une colonie de peuplement à Cnossos remontent à 7000 avant notre ère. Cnossos se développa en plusieurs phases du XIXe au XVIe siècle av. J.-C., jusqu'à atteindre des proportions monumentales et devenir le centre administratif, mais surtout religieux de l'Empire minoen. Le gigantesque palais de plus de 800 pièces équipé de systèmes de canalisation et de bains fut bâti au IIe millénaire. Environ 80 000 personnes vivaient à Cnossos et ses environs. La Crète possédait alors la flotte la plus puissante de toute la Méditerranée.

Au début du XVIIe siècle av. J.-C., une éruption volcanique ensevelit la ville sous une couche de cendres de plus d'un mètre. Comme aucun squelette ne fut retrouvé lors des fouilles, on en déduisit que les habitants avaient eu le temps de prendre la fuite. Conséquence de l'éruption : le ciel s'assombrit pendant un long moment, ce qui entraîna un changement climatique. Au cours des siècles suivants, d'autres catastrophes naturelles, des séismes et des raz-de-marée notamment, précipitèrent le déclin de la civilisation crétoise. Vers 1450 av. J.-C., la Crète était tellement affaiblie qu'elle ne put opposer une résistance suffisante face aux Mycéniens – l'ère minoenne arrivait à son terme.

**EN BREF**

Le palais de Cnossos possédait cinq étages et plus de 800 pièces pour une surface aménagée de 21 000 m² sur un terrain de 2,2 ha

**7000 av. J.-C.**
Première occupation humaine
**1628 av. J.-C.**
Destruction par l'éruption volcanique sur l'île de Santorin, dans l'archipel des Cyclades
**1878**
Découverte de Cnossos par l'archéologue amateur grec Minos Kalokairinos
**1886**
Visite du site de fouilles par l'archéologue allemand Heinrich Schliemann

**Page ci-contre :** partie conservée de l'ancien palais de l'époque minoenne.

**Ci-dessous :** tête de taureau sculptée du musée archéologique d'Héraklion, Crète, 1700-1400 av. J.-C., marbre et or

**Ci-contre :** reconstitution en couleur de la salle du trône telle qu'elle devait être vers 1900 av. J.-C.

**Le Minotaure.** Cnossos était le sanctuaire du culte du taureau. D'après la mythologie grecque, Zeus s'éprit d'Europe, la fille du roi phénicien Agénor. Pour éviter que son épouse Héra ne le surprenne, il se métamorphosa en taureau, enleva Europe et l'emmena en Crète. Zeus et Europe eurent alors trois enfants : Minos, Rhadamanthe et Sarpédon.

Le lourd patrimoine héréditaire du taureau finit un jour par se manifester : Minos, qui régnait avec cruauté sur l'île, s'attira la colère de son père en interceptant un cadeau de Poséidon. Il s'agissait d'un taureau blanc qui destiné à être sacrifié à Zeus. Pour punir son fils, ce dernier fit en sorte que Pasiphaé, l'épouse de Minos, ressente du désir pour le taureau. De leur union naquit alors le Minotaure, cette célèbre créature à corps d'homme et à tête de taureau qui exigeait de nombreux sacrifices humains. Chaque année, Minos demandait donc aux Athéniens de lui livrer sept jeunes femmes et sept jeunes hommes en tribut pour son fils mort dans l'Attique, afin de nourrir le Minotaure. Ce dernier était par ailleurs emprisonné dans le légendaire labyrinthe construit par Icare et Dédale.

Seul le courageux Thésée, qui parvint à retrouver son chemin à l'intérieur du labyrinthe grâce au célèbre fil d'Ariane, réussit à tuer le Minotaure et à mettre un terme aux épouvantables sacrifices.

**Ci-dessous :** dessin d'inspiration moderne du vaste site antique.

GRÈCE

# Delphes

L'ORACLE DU DIEU APOLLON, LE SANCTUAIRE LE PLUS IMPORTANT DE LA GRÈCE ANTIQUE, SE TROUVE EN PLEIN CŒUR D'UN PAYSAGE D'UNE ÉPOUSTOUFLANTE BEAUTÉ, ENTOURÉ D'AUTRES SITES ET TEMPLES.

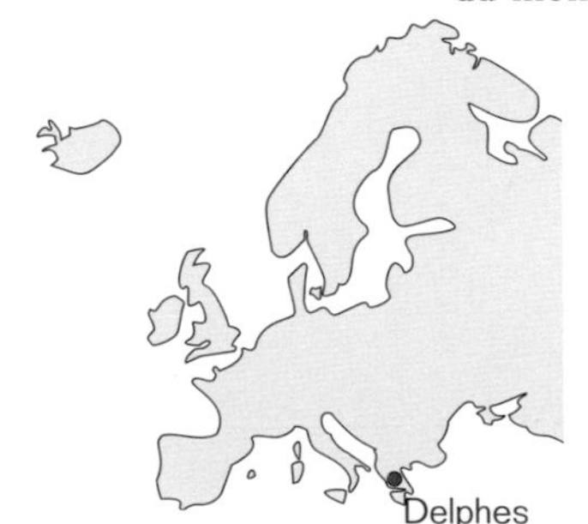


Pour les Grecs, Delphes était réellement le centre du monde. D'après les récits mythologiques, Zeus lâcha deux aigles depuis les bords du monde, et ces derniers se rejoignirent au-dessus de Delphes, leurs becs se crochetèrent et ils tombèrent au sol. Le lieu fut signalisé par l'*omphalos*, littéralement le « nombril », une pierre phallique sous laquelle se trouverait la tombe de Dionysos. La fontaine de Castalie, le lieu le plus sacré de l'oracle, était autrefois gardée par un dragon à plumes nommé Python, qui était le fils de la déesse préhellénique Gaïa. Le nom de Delphes vient du grec δελφός *(delphos)* qui signifie « la matrice », ou encore le « lieu de naissance du monde ».

**L'oracle sacré.** Des fouilles ont montré que le site était déjà habité au XVe siècle av. J.-C. mais, d'après le poète Homère, c'est Apollon en personne qui introduisit l'oracle à Delphes. Lieu de pèlerinage, Delphes attirait des foules venant de tout le monde grec. Les Grecs venaient consulter l'oracle afin qu'il les conseille sur leurs préoccupations principales. Après les offrandes, la pythie, une voyante spécialement formée pour cette fonction et prêtresse de l'oracle d'Apollon, répondait aux questions par des phrases mystérieuses. Elle le faisait dans l'*adyton*, une petite salle

**Page ci-contre :** les ruines du temple d'Apollon à Delphes. Les dieux grecs étaient généreux et colériques, ils étaient proches des hommes, s'immisçaient dans leurs vies et les exhortaient à se surpasser en leur donnant des directives sur leur manière d'agir.

du temple d'Apollon à laquelle elle seule avait accès. Sa réponse était ensuite traduite par un prêtre.

**Les Jeux pythiques.** Le temple d'Apollon tel qu'on le voit aujourd'hui date du IVe siècle av. J.-C. Deux temples plus anciens le précédèrent, le premier fut détruit par un incendie en 548 av. J.-C. et le second par un tremblement de terre. Un théâtre fut également aménagé au IVe siècle avant notre ère, il pouvait accueillir 5 000 visiteurs. À partir de 586 av. J.-C., les Jeux pythiques se déroulèrent ici tous les quatre ans – il s'agissait des jeux les plus importants de Grèce après les Jeux olympiques. Il n'y avait à l'origine qu'une seule compétition, le chant accompagné de cithare, un instrument à cordes. Des compétitions sportives vinrent s'ajouter par la suite.

En 393 ap. J.-C., l'oracle sacré d'Apollon fut fermé par l'empereur byzantin Théodose Ier car la foi chrétienne avait été promue religion d'État et les cultes païens interdits. Le dieu chrétien ne tolère aucun autre dieu ; sa trinité n'est qu'un vestige abstrait d'une pluralité révolue – le principe monothéiste devait désormais régner sur l'Europe.

**EN BREF**

**À partir du VIIIe siècle av. J.-C.**
Culte d'Apollon
**330 av. J.-C.**
Achèvement de la reconstruction du temple d'Apollon
**191 av. J.-C.**
Conquête par les Romains
**393**
Fermeture de l'oracle sur décision de l'empereur Théodose Ier
**1893**
Découverte par des archéologues français
**1987**
Inscription au patrimoine mondial de l'Unesco

Le festival de Delphes a lieu en juin et présente des représentations de drames et œuvres antiques et classiques.

**Ci-contre :** le temple circulaire d'Athéna. Les ruines grecques, en particulier les colonnes, mais aussi les statues dont seuls les torses ont été conservés, aiguisent depuis toujours l'imagination des architectes et des artistes qui aimeraient les reconstituer : ce sont des sources d'inspiration inépuisables.

GRÈCE, ATHÈNES

# Acropole, Parthénon

LE PARTHÉNON D'ATHÈNES, LIEU DE CULTE DE LA DÉESSE ATHÉNA, EST LE PLUS CÉLÈBRE ÉDIFICE DE LA GRÈCE ANTIQUE. AU COURS DE SON HISTOIRE, IL FUT UN TEMPLE, UNE SALLE AU TRÉSOR, UNE FORTERESSE, UNE ÉGLISE ET UNE MOSQUÉE.

Le Parthénon se dresse depuis près de 2 500 ans au sommet de l'acropole d'Athènes, d'où il surveille la ville. Il fut construit pour remercier la déesse d'avoir sauvé la cité pendant les guerres médiques.

Le nom complet de ce sanctuaire est « temple de la vierge Athéna », l'appellation actuelle dérivant en effet du grec *parthenos* (« vierge »).

La construction du temple débuta en 447 av. J.-C. sur l'emplacement d'un temple plus ancien détruit par les Perses. Les travaux furent placés sous la supervision des architectes Ictinos et Callicratès, et du célèbre sculpteur Phidias (480-430 av. J.-C.). L'initiative en revenait à Périclès (495-429 av. J.-C.), le plus influent des hommes politiques athéniens de l'époque. L'édifice fut conçu pour abriter la colossale statue de la vierge Athéna, chef-d'œuvre que l'on doit à Phidias, dans sa *cella*, son « sanctuaire interne ». La statue sacrée faite d'ivoire et d'or a malheureusement disparu, mais, grâce à des reliefs, des vases et des pièces de monnaie, on sait à quoi elle ressemblait. Premier temple de la Grèce antique, le Parthénon servit pendant presque 1 000 ans de sanctuaire. Au ve siècle – Athènes dépendait alors de l'Empire romain – la célèbre statue d'Athéna fut transférée à Constantinople, où elle fut sans doute détruite

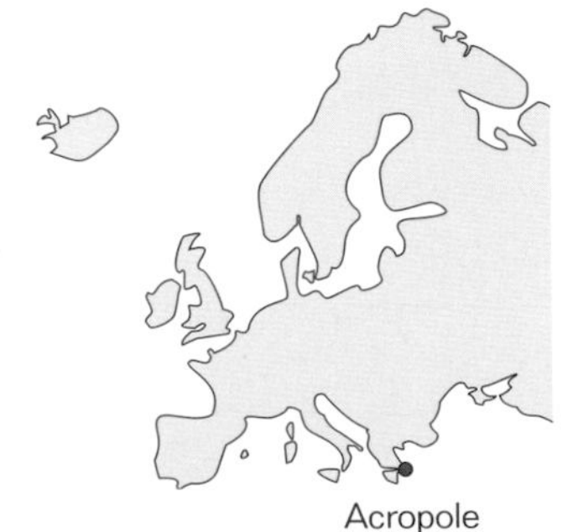

**EN BREF**

Temple dorique
à frises ioniques
17 x 8 colonnes doriques
Les coûts les plus élevés
liés à la construction
ont été occasionnés par
le transport des pierres
provenant du mont
Pentélique à 16 km
du site

**Longueur**: 69,5 m
**Largeur**: 30,9 m
**Hauteur**: 10,4 m
**1837**
Premières fouilles
**1987**
Inscription au patrimoine
mondial de l'Unesco

**Page ci-contre**: l'acropole et le grand temple du Parthénon. Le temple construit au v^e^ siècle est le complexe le plus important de l'architecture grecque.

**Ci-contre**: les célèbres statues de femmes de la corniche de l'Érechthéion sur l'acropole, qui rendent un culte « éternel » à la tombe du roi, incarnent les canons de la beauté classique.

lors du pillage de la ville par les croisés au cours de la quatrième croisade en 1202-1204.

**Une histoire mouvementée.** Au cours des premières décennies du XIII^e^ siècle, le Parthénon fut transformé en église consacrée à la Vierge Marie. Les murs de la *cella* furent détruits pour construire une abside. En outre, la plupart des sculptures furent enlevées et celles qui représentaient des dieux païens furent détruites. En 1456, Athènes tomba aux mains des Ottomans et le Parthénon devint une mosquée. Un minaret fut édifié, mais le site ne fut pas plus transformé ni endommagé. Les musulmans n'eurent jamais pour habitude de détruire intentionnellement des temples. Dans des récits de voyage datant du XVII^e^ siècle, le Parthénon est décrit comme étant « presque intact ».

Les attaques vénitiennes lui causèrent en revanche plus de dommages. Les Ottomans utilisaient alors le Parthénon comme poudrière, et un boulet vénitien fit exploser l'édifice. Après cet événement, le temple resta en ruines. Les objets d'art et les sculptures furent transférés au British Museum de Londres à partir de 1801, et ils y sont toujours aujourd'hui.

**Ci-dessous**: vue de l'intérieur du Parthénon où se déroulent des travaux de restauration depuis 1975.

GRÈCE

# Monastères du mont Athos

*HÁGION ÓROS*, LA SAINTE MONTAGNE, DÉSIGNE CETTE LANGUE DE TERRE DE LA CHALCIDIQUE. QUELQUE 1 500 MOINES Y VIVENT ENCORE AUJOURD'HUI, ILS ÉTAIENT AUTREFOIS PLUSIEURS MILLIERS. ATHOS EST UN MONDE D'HOMMES.

**EN BREF**

**963**
Fondation du premier monastère Megisti Lavra
**972**
Athos obtient sa propre Constitution. Le statut de république monastique est codifié depuis 1912.
**1453**
Chute de Byzance
**1988**
Inscription au patrimoine mondial de l'Unesco

La presqu'île de la Chalcidique est traversée sur toute sa longueur par une crête montagneuse qui culmine à son extrémité par un sommet de 2 033 m d'altitude, le mont Athos. La première colonie de moines, Megisti Lavra, ou la Grande Laure, fut fondée sur ce mont en 963. La plupart des autres monastères furent bâtis entre le X^e^ et le XV^e^ siècle. La communauté grandit rapidement et, dès 1110, on pouvait déjà compter 45 monastères. À l'apogée du site, 40 000 moines vivaient ici.

Dans ce lieu sacré, où, suivant la plus stricte tradition byzantine, aucune femme n'est admise, les moines s'occupent eux-mêmes depuis des siècles de leurs lois et du respect de ces dernières. Il n'existe de gouverneur public que pour les affaires générales ; le mont Athos est une république monastique autonome. Le gouverneur représente l'État grec, garant quant à lui de l'indépendance de la république. En payant un tribut aux souverains ottomans, les moines réussirent même à préserver leur indépendance pendant la domination turque, qui dura de 1453 à 1912.

**En haut :** le monastère-forteresse de Stavronikita, qui date du XVI^e^ siècle, surplombe la mer Égée sur un éperon de la côte nord-est du mont Athos.

# Monastères des Météores

LES 24 MONASTÈRES-FORTERESSES DES MÉTÉORES SE TROUVENT NON LOIN DU MONT ATHOS, DANS LE CENTRE DE LA GRÈCE, SUR DES PICS ROCHEUX. ILS SONT LES TÉMOINS D'UNE FOI ORTHODOXE GRECQUE INALTÉRABLE.

Les extraordinaires rochers en grès des Météores ont 60 millions d'années. Les premiers monastères, des forteresses destinées à se protéger des attaques ennemies, furent construits à partir du xe siècle sur ces « colonnes célestes », comme les surnommaient autrefois les ascètes. Au xve siècle, on comptait 24 monastères, qui connurent leur apogée lors des deux siècles suivants. On peut encore admirer des peintures post-byzantines témoignant de cet âge d'or. Les moines atteignaient ces lieux sacrés situés à des altitudes vertigineuses grâce à plusieurs échelles reliées entre elles ou, comme les denrées alimentaires, par un système de nacelles et de câbles. Les efforts que la construction de ces monastères a requis sont inimaginables. On hissait autrefois aussi les pèlerins dans des nacelles jusqu'au monastère de Varlaam, à 375 m d'altitude. Depuis 1920, des escaliers creusés dans la roche facilitent l'ascension. Pendant la Seconde Guerre mondiale, de nombreux monastères ont été bombardés et pillés. Aujourd'hui, seuls six sont encore actifs, quelques moines et nonnes les habitent encore.

**EN BREF**

**xe siècle**
Premiers ermitages
**1370**
Fondation du monastère Megálo Metéoro
**depuis 1972**
Mesures de conservation systématiques
**1988**
Inscription au patrimoine mondial de l'Unesco

**Ci-dessus :** le monastère des Météores de Varlaam. *Metéora* signifie « suspendu dans les airs », une description adéquate.

**À gauche :** le monastère des Météores Agios Nikólaos Anapavsás fondé au xive siècle.

BULGARIE

# Monastère de Rila

LE MONASTÈRE DE RILA, LE PLUS GRAND COMPLEXE MONASTIQUE DE BULGARIE ET L'UN DES SANCTUAIRES LES PLUS GRANDIOSES DE LA PÉNINSULE DES BALKANS, EXISTE DEPUIS PLUS DE 1 000 ANS. SOUS SON APPARENCE ACTUELLE, IL EST UN TÉMOIGNAGE ET UN SYMBOLE DE LA « RENAISSANCE BULGARE » DU XIX^e^ SIÈCLE.

Situé dans une haute vallée au milieu d'une colline boisée, le complexe ressemble à première vue à une forteresse médiévale. Le monastère date en effet du Moyen Âge, il fut fondé au x^e^ siècle par le moine Ivan Rilski, mais il ne reste plus rien des anciennes pierres (ou bâtiments en bois) de cette première époque. Seule la plus ancienne partie du monastère, la majestueuse tour Hrelyu datant de 1335, est encore médiévale, tout le reste date du XIX^e^ siècle. Les privilèges que le monastère obtint du tsar Ivan Sisman en 1378 sont associés à une phase d'apogée culturel qui s'exprima aussi bien dans l'architecture du monastère que dans les autres arts que l'on retrouve dans le site.

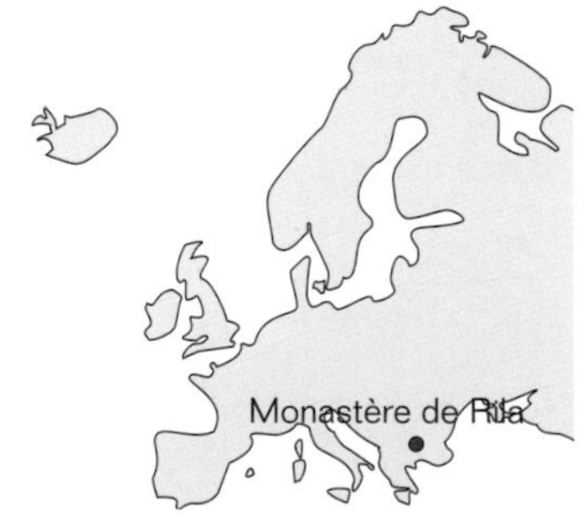


La chute de Constantinople en 1453 marqua une césure historique majeure pour l'architecture monastique byzantine dans son ensemble. Elle ouvrit une période de déclin pour la plupart des monastères orthodoxes, dont celui de Rila. De nombreux moines émigrèrent en Russie au XVI^e^ siècle. Le monastère fut victime d'un incendie en 1833. À cette époque, le sentiment national bulgare était de nouveau très développé, de sorte que l'église principale du monastère fut rapidement reconstruite, de même que la rangée de bâtiments situés de la cour. Les édifices de la république monastique du mont Athos servirent de modè-

**EN BREF**

**x^e^ siècle**
Fondation du monastère (un ermitage) par le moine Ivan Rilski
**1335-1345**
Construction d'une tour de garde et d'une église
**1833**
Destruction du monastère par un grand incendie
**1834-1850**
Reconstruction du monastère ; réalisation de fresques dans l'église
**1961**
Lieu de commémoration national
**1983**
Inscription au patrimoine mondial de l'Unesco

**Page ci-contre :** panorama sur le monastère et la cathédrale Notre-Dame-de-l'Assomption. L'apparence actuelle du monastère date en grande partie de sa reconstruction au XIX^e^ siècle.

**Ci-contre :** arcade de l'avancée et portail de la cathédrale Notre-Dame-de-l'Assomption. L'austérité des maçonneries forme un contraste fort avec les murs intérieurs ornés de fresques.

les aux architectes, en particulier le *catholicon* du monastère (bulgare) de Zographou et celui du monastère d'Esphigmenou qui datent tous deux du début du XIX^e^ siècle. La reconstruction du monastère bulgare de Rila symbolise le regain de l'identité tant orthodoxe que nationale. Depuis cette époque, Rila attire de nouveau chaque année des milliers de pèlerins, et la vie spirituelle s'y est réveillée. Les magnifiques fresques et la monumentale iconostase de l'église, un édifice doté de cinq coupoles et deux chapelles latérales, ne manquent pas d'émerveiller les fidèles. Les icônes, exécutées par les plus grands peintres bulgares, ont redonné au lieu toute sa splendeur de jadis.

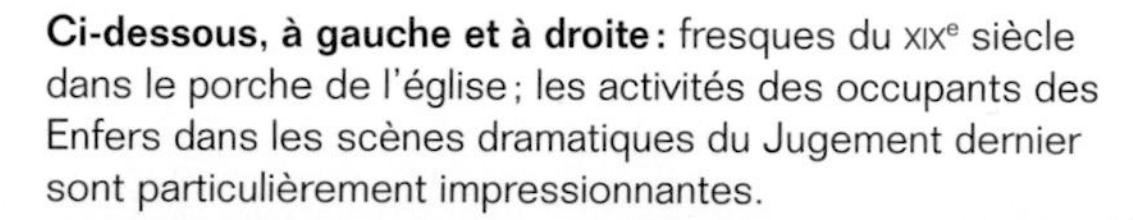

**Ci-dessous, à gauche et à droite :** fresques du XIX^e^ siècle dans le porche de l'église ; les activités des occupants des Enfers dans les scènes dramatiques du Jugement dernier sont particulièrement impressionnantes.

TURQUIE, ISTANBUL

# Basilique Sainte-Sophie

« L'ÉGLISE DE LA SAINTE SAGESSE », *HAGIA SOPHIA* (Ἁγια Σοφία) EN GREC, FUT SUCCESSIVEMENT UNE ÉGLISE BYZANTINE, UNE MOSQUÉE OTTOMANE, PUIS UN MUSÉE.

De la basilique Sainte-Sophie bâtie au IVe siècle par le premier empereur chrétien Constantin, fondateur de la ville de Constantinople, il ne reste aujourd'hui plus rien. Il s'agissait de l'une des églises les plus prestigieuses de toute une série d'églises que l'empereur fit édifier dans plusieurs villes. Après la destruction de la première église, son fils Constance et l'empereur Théodose la firent reconstruire. La basilique et la moitié de la ville furent de nouveau réduites en cendres lors de la sédition Nika en 532. Le mot *nika* désigne les courses de chars qui avaient lieu sur l'hippodrome devant l'église et qui se terminaient souvent en affrontements violents entre les membres des différentes équipes. L'empereur Justinien Ier fit reconstruire la basilique en 532-537 : il en fit une œuvre majeure de l'architecture byzantine dotée de somptueuses mosaïques et de colonnes en marbre. À la fin des travaux, il aurait déclaré : « Ô Salomon, je t'ai dépassé ! »

Pendant 900 ans, Hagia Sophia fut le siège des patriarches orthodoxes de Constantinople, le théâtre des conciles ecclésiastiques et des cérémonies impériales. Au début du XIIIe siècle, ce sanctuaire fut cependant pillé et en partie détruit par les croisés ; le patriarche fut remplacé par un évêque romain. Cet incident renforça la rupture entre

Sainte-Sophie

**EN BREF**

**532-537**
Réaménagement de l'église par les architectes Isidore de Milet et Anthémius de Tralles
**558**
Effondrement de la coupole à cause d'un tremblement de terre
**563**
Nouvel effondrement de la coupole
**989 et 1346**
Dommages sur la coupole dus à un tremblement de terre
**1204**
Destruction et pillage par les croisés
**1054**
Grand schisme d'Orient
**29 mai 1453**
Transformation de l'église en mosquée par le sultan Mehmet
**1934**
Sécularisation par Kemal Atatürk
**1985**
Inscription au patrimoine mondial de l'Unesco

**Page ci-contre :** la basilique Sainte-Sophie, en arrière-plan le Bosphore et la ville d'Istanbul. L'édifice est aussi impressionnant que sa situation géographique.

l'Église catholique romaine et l'Église orthodoxe grecque, amorcée avec le grand schisme d'Orient de 1054. Un grand nombre des trésors alors dérobés dans la basilique Sainte-Sophie peut aujourd'hui être admiré dans la basilique Saint-Marc de Venise. Jusqu'en 1453, date de l'entrée triomphale du sultan Mehmet dans la ville, Hagia Sophia est restée une église active avant d'être transformée en mosquée. Dans un premier temps, peu de changements furent effectués mis à part l'ajout d'un minaret en bois et la construction d'une niche de prière, ou *mihrab*. Au fil du temps en revanche, toutes les mosaïques représentant des portraits humains furent recouvertes de badigeon, car le Coran interdit les images. Plusieurs sultans ajoutèrent des bâtiments ou modifièrent l'église au cours des siècles suivants. La mosquée fut sécularisée sous le président turc Kemal Atatürk pour devenir le musée Ayasofya.

**Ci-contre :** vue intérieure de l'Hagia Sophia. L'impression d'ensemble n'a pratiquement pas changé depuis sa construction dans les années 532-537.

**Ci-dessous :** mosaïques à l'intérieur de la basilique Sainte-Sophie : Vierge à l'Enfant, flanquée de l'empereur Jean II Comnène et de l'impératrice Irène, 1118.

Sur le continent africain, que l'on surnomme parfois le « continent noir », les religions pratiquées couvrent un large spectre, des conceptions animistes des premiers habitants à l'islam, au judaïsme et à diverses formes du christianisme qui conservent chacun sur ces territoires quelques-uns de leurs objets sacrés. C'est en Afrique que se trouve le berceau de l'humanité, mais les racines de la foi humaine et des pratiques religieuses sont également profondément ancrées dans le lointain passé de ce continent.

# AFRIQUE

TUNISIE

# Kairouan

APRÈS LA MECQUE, MÉDINE ET JÉRUSALEM, KAIROUAN EST LA QUATRIÈME VILLE SAINTE DE L'ISLAM. AU VIIe SIÈCLE, LES ARABES CONQUIRENT LE NORD DE L'AFRIQUE ET PROPAGÈRENT DANS LEUR SILLON LA SAINTE PAROLE DE LEUR DIEU.

Lorsque les Arabes pénétrèrent sur le continent africain au VIIe siècle, Oqba ibn Nafi (622-683), le général qui était à la tête des armées musulmanes planta son épée dans le sol et fonda la première ville arabe d'Afrique, centre de l'enseignement et de l'art islamiques. Avec sa Grande Mosquée, Kairouan devint alors la ville sainte du Maghreb. Cette première mosquée servit d'exemple à toutes les autres mosquées d'Afrique du Nord et même d'Espagne. À la fin du VIIe siècle, soit deux ou trois générations à peine après l'apparition de l'islam, les fonctions de base et la typologie d'une mosquée étaient fermement établies. Le mot *kairouan* signifie le « campement du chef » et la ville possède en effet une histoire guerrière. Elle fut menacée par les Berbères, devint la cible de dynasties rivales, puis fut impliquée dans les conflits religieux entre chiites et sunnites. Les murs de la ville sainte furent détruits et reconstruits sept fois. La mosquée Sidi Oqba, qui porte le nom du fondateur de la ville, fut détruite et reconstruite trois fois. Dans son apparence actuelle, elle date du IXe siècle, l'âge d'or de Kairouan sous les Aghlabides.

La Zaouïa Sidi Sahab, ou mosquée du Barbier, qui date du XVIIe siècle, est le lieu de pèlerinage le plus impor-

Page ci-contre : vue intérieure de la Grande Mosquée, le « mur de colonnes » ; la salle de prière est entièrement recouverte de tapis.

**Ci-contre :** un pèlerin musulman devant un mur couvert de carreaux de céramique dans la mosquée du Barbier.

tant de Kairouan. C'est là que se trouve la tombe d'Abu Zamaa, l'un des compagnons de Mahomet. On raconte que ce dernier portait toujours trois poils de la barbe du prophète sur lui : ce sont ces reliques qui font de Kairouan un pèlerinage sacré.

**Retour dans la ville.** Les ruelles de la vieille ville sont tortueuses, le temps semble s'y être arrêté. Les quartiers sont encore divisés selon les corporations, les clans et les familles. La vieille ville de Kairouan compte plus de 120 mausolées et mosquées. Il y en a de toutes les tailles, de toutes les formes architecturales. Pour les musulmans, faire trois pèlerinages à Kairouan équivaut à faire un seul pèlerinage à La Mecque. Derrière l'entrée bleue du puits Bir Barouta du XVIIe siècle, on est accueilli par un dromadaire qui actionne la roue à godets. C'est de là que s'organise l'approvisionnement en eau. D'après la légende religieuse, Bir Barouta serait relié sous terre à la source sacrée Zemzem de La Mecque. Quiconque boit de cette eau retournera dans la ville sainte du désert.

**EN BREF**

**670**
Fondation, d'après la légende
**672**
Début de la construction de la Grande Mosquée
**1052**
Édification des murs de la ville
**1618**
Cinquième agrandissement et transformation de la Grande Mosquée
**1988**
Inscription au patrimoine mondial de l'Unesco

**Ci-contre :** l'une des nombreuses mosquées aux multiples coupoles de Kairouan.

ÉGYPTE

# Abou Mena

D'APRÈS LA LÉGENDE, MÉNAS ÉTAIT UN LÉGIONNAIRE ROMAIN QUI SE CONVERTIT AU CHRISTIANISME. IL SE FIT ERMITE DANS LE DÉSERT ET MOURUT EN MARTYR. L'ÉGLISE OÙ MÉNAS EST ENTERRÉ ET SON BAPTISTÈRE SONT DEVENUS LE LIEU DE PÈLERINAGE CHRÉTIEN LE PLUS IMPORTANT D'ÉGYPTE.

On invoque saint Ménas, le patron des marchands, pour retrouver des objets perdus. Ménas fut torturé et décapité pendant les persécutions des chrétiens sous l'empereur Dioclétien (243-313) et son corps enterré non loin d'Alexandrie, dans le désert égyptien. L'empereur Théodose (349-395) déclara le christianisme religion d'État en 380. Abou Mena attira alors des milliers de personnes qui se convertirent là à la nouvelle religion. La ville se développa, s'enrichit et devint rapidement le plus grand centre de pèlerinage chrétien d'Afrique du Nord. En raison des foules de pèlerins qui visitaient ce lieu sacré, la ville de Mena fut surnommée la « Lourdes de l'Antiquité chrétienne ». De nombreuses guérisons eurent lieu dans ce lieu sacré, des morts y seraient même ressuscités. Chaque jour, des milliers de croyants se réunissaient sur la place du pèlerinage. Des paralytiques, des aveugles ou encore des lépreux remplissaient les nombreuses auberges de la ville alors florissante. Jusqu'au XIe siècle, des fidèles affluèrent de tout le monde chrétien connu et rapportèrent chez eux de l'huile miraculeuse. Avec le renforcement et la marche triomphale finale de l'islam, le site tomba de plus en plus dans l'oubli.

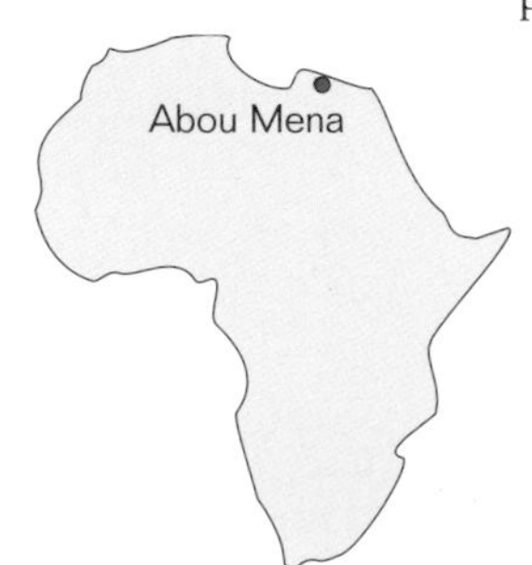

**EN BREF**

**296**
Martyre de Ménas
**Ve et VIe siècles**
Construction du baptistère
**Du VIIe au IXe siècle**
Construction de la basilique avec une nef à trois vaisseaux
**Vers 850**
Construction de l'église de la tombe du martyr
**Vers 1300**
Désertion d'Abou Mena
**1905**
Fouilles dirigées par Carl Maria Kaufmann
**1979**
Inscription au patrimoine mondial de l'Unesco

**Page ci-contre et à droite :** les ruines antiques d'Abou Mena. Le cœur du site était formé par une enfilade de 120 m de longueur de salles liturgiques, composée du baptistère octogonal, de l'église au-dessus de la tombe du martyr à l'est qui date de l'époque justinienne (528-565) et de la grande basilique à transept et plan cruciforme datant de 500 environ.

**De nouveau menacée de disparition.** La ville fut pillée, incendiée et ensablée, puis redécouverte 1 000 ans plus tard par un archéologue allemand. Aujourd'hui, cette cité dans le désert est redevenue le premier lieu de pèlerinage des coptes, les chrétiens d'Égypte. Des moines coptes y ont même fondé un nouveau monastère.

Abou Mena est cependant de nouveau menacée de disparition car le gouvernement égyptien canalise le Nil et l'ancien désert est déjà traversé d'innombrables canaux – l'eau du Nil doit créer des emplois. Cette décision sonnera peut-être le glas d'Abou Mena : la montée constante du niveau des eaux détruit les murs, de nombreux bâtiments souterrains sont ensevelis, partout les édifices menacent de s'effondrer. Le patrimoine mondial d'Abou Mena est en danger. Seule la fin des canalisations pourrait le sauver.

**Ci-dessous et en bas, à droite :** à côté de vestiges en pierre plutôt modestes, on trouve des chapiteaux magnifiquement sculptés. Les chrétiens d'Égypte, les coptes, pour lesquels Abou Mena est redevenu un lieu de pèlerinage au XXe siècle, craignent aujourd'hui de nouveau de perdre leur ville sainte.

ÉGYPTE

# Pyramides de Gizeh

LES PYRAMIDES DE GIZEH SONT LES PYRAMIDES LES PLUS CONNUES AU MONDE. ELLES SONT AUJOURD'HUI LES SEULES MERVEILLES DU MONDE ANTIQUE À AVOIR ÉTÉ CONSERVÉES. TOMBEAUX DES ROIS-DIEUX, ELLES ÉTAIENT, IL Y A PLUS DE 4 000 ANS, VÉNÉRÉES COMME DES LIEUX SACRÉS.

La région de Gizeh compte en tout neuf pyramides ainsi que le célèbre sphinx, un lion couché à tête d'homme. À l'origine, le sphinx incarnait la royauté d'ordre divin des pharaons de la quatrième dynastie (2639-2504 av. J.-C.), et il symbolisa par la suite le dieu du soleil Harmakhis.

Ce sont les pharaons Khéops, Khéphren et Mykérinos qui firent construire de 2585 à 2520 av. J.-C. les plus somptueuses pyramides pour leurs sépultures. En plus de 30 ans, 30 000 ouvriers œuvrèrent à la construction de l'immense pyramide de Khéops qui, avec quelque 2,3 millions de blocs en pierre, se dresse aujourd'hui encore dans le désert tel un symbole d'une sacralité révolue. Les galeries à l'intérieur de la pyramide sont obstruées par de grands blocs de pierre, ce qui n'empêcha pas les pilleurs de tombes de voler et saccager les tombeaux dès l'Antiquité. Ils ne laissèrent souvent rien de plus qu'un sarcophage en granit vide. Au sud-ouest de la pyramide de Khéops se trouve le tombeau de Khéphren, puis au sud-ouest de ce dernier, la plus petite des trois pyramides, qui porte le nom de « Divine pyramide de Mykérinos ». Les parois extérieures des pyramides étaient recouvertes de plaques de calcaire, dont on ne voit plus que quelques vestiges à présent.

**EN BREF**

**Sphinx**
**Construction :**
vers 2590 av. J.-C.
**Hauteur :** 73,5 m
**Longueur :** 20 m
**Largeur :** 6 m

**Pyramide de Khéops :**
**Construction :**
vers 2585 av. J.-C.
**Hauteur :** 138 m
(initialement 146,5 m)
**Longueur du côté :** 230,33 m
**Volume :** 2 583 283 m³
**Inclinaison :** 51° 50'

**Pyramide de Khéphren**
**Construction :**
vers 2550 av. J.-C.
**Hauteur :** 143 m
(initialement 143,5 m)
**Longueur du côté :** 215 m
**Volume :** 2 211 096 m³
**Inclinaison :** 53° 10'

**Pyramide de Mykérinos**
**Construction :**
vers 2520 av. J.-C.
**Hauteur :** 62 m
(initialement 65,55 m)
**Longueur du côté :** 102 m
**Volume :** 241 155 m³
**Inclinaison :** 51° 20'

**Page ci-contre :** le complexe des trois pyramides de Gizeh. Les pyramides étaient autrefois recouvertes de plaques de calcaire blanches qui ont été ôtées il y a plusieurs siècles.

**Ci-contre :** la grande galerie de la pyramide de Khéops est une merveille architecturale. Les architectes ont en effet réussi à couvrir un corridor en prenant en compte les masses qui pèsent dessus.

**Des lieux de culte pour les défunts.** Les premières pyramides datent de 2680-2600 av. J.-C. Il s'agit des pyramides à degrés du complexe funéraire de Djéser, la plus ancienne construction monumentale du monde (vers 2680 av. J.-C.) à Saqqarah, mais aussi de la pyramide dite « rhomboïdale » et de la pyramide rouge qui furent toutes deux construites près de Meïdoum sous le règne du pharaon Snefrou. Ces premières pyramides servirent de modèles pour les pyramides égyptiennes suivantes.

Les pyramides sont orientées en fonction des points cardinaux : au nord se trouve l'entrée menant aux tombes, à l'est le temple pour le culte des morts. Les chambres funéraires étaient autrefois souterraines, mais elles furent par la suite dissimulées dans les maçonneries.

**Ci-dessous :** le sphinx, mi-lion mi-homme, peut être considéré comme une représentation colossale du souverain et symbolise de manière impressionnante la royauté divine des pharaons du début de la quatrième dynastie (2639-2504 av. J.-C.). Plus tard, sous le Nouvel Empire (1550-1070), le sphinx incarna plutôt le dieu du soleil Harmakhis.

ÉGYPTE

# Karnak

LE GRAND COMPLEXE DE TEMPLES DE KARNAK CONSACRÉ AU DIEU AMON, QUI DEVINT AU COURS DU NOUVEL EMPIRE UNE IMMENSE VILLE-TEMPLE, ÉTAIT À SON ÉPOQUE LE PLUS GRAND SITE SACRÉ DU MONDE ET LE PREMIER SANCTUAIRE D'ÉGYPTE.

**EN BREF**

**1956-1911 av. J.-C.**
Débuté sous Sesostris Ier, XIIe dynastie
**Vers 1450 av. J.-C.**
Importante phase de construction sous Thoutmosis III, XVIIIe dynastie
**2019-1794 av. J.-C.**
Moyen Empire
**1550-1070 av. J.-C.**
Nouvel Empire
**1979**
Inscription au patrimoine mondial de l'Unesco

Dieu de la ville de Thèbes, Amon, dont le nom signifie « le caché », « l'inconnaissable », devint le roi des dieux, qui coexistaient avec lui. L'impressionnant sanctuaire de Karnak est l'expression faite pierre de son culte. Pharaon après pharaon, dynastie après dynastie, tous ont agrandi le sanctuaire central d'Amon. Quelque 70 000 prêtres appartenaient au temple, à ses dépendances et à ses propriétés agricoles. À leur tête, le grand prêtre et trois autres « serviteurs de dieu » qui aidaient le roi en tant que maîtres suprêmes du culte. Autrefois, 134 colonnes ornées de reliefs et de hiéroglyphes supportaient le toit du temple et ses plafonds et murs couverts de magnifiques peintures. Le sanctuaire central se trouvait derrière la rangée de colonnes de la chambre intérieure. L'enceinte englobait aussi le temple de Mout, au nord, et le temple de Khonsou, au sud. Le site était relié à Louxor par une allée sacrée de 2,5 km, une autre voie menait à un débarcadère sur le Nil. Au fil des siècles, les différents souverains ne cessèrent d'ajouter des bâtiments au complexe, ce qui explique le mariage de styles architecturaux très divers.

**En haut :** vue aérienne des ruines du vaste complexe de temples de Karnak.

# Louxor

LE TEMPLE DE LOUXOR ÉTAIT LE « HAREM DU SUD », C'EST-À-DIRE LES APPARTEMENTS PRIVÉS DU DIEU AMON-RÊ, QUI S'EN SERVAIT POUR SE RÉGÉNÉRER. LE TEMPLE ÉTAIT AUSSI UTILISÉ POUR RENFORCER LE CARACTÈRE DIVIN DU ROI.

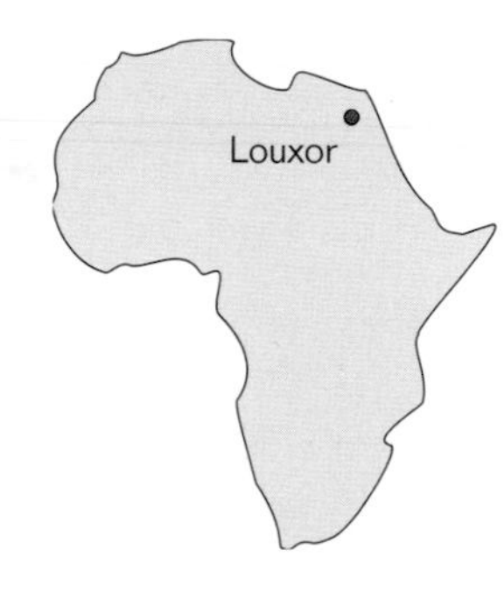


La construction du temple de Louxor débuta sous le règne des souverains thoutmosides de la XVIIIe dynastie. Le temple principal fut remplacé par un nouvel édifice sous Aménophis III vers 1380 av. J.-C., puis agrandi par la suite sous Toutankhamon et Ramsès II. En plus de ses magnifiques reliefs, le site possède des statues colossales de Ramsès II.

Le temple de Louxor fut aménagé pour les grandes fêtes thébaines en l'honneur du dieu. Le temple était relié au sanctuaire de Karnak par une voie bordée de centaines de sphinx. Pendant la fête d'Opet, considérée comme la plus grande fête de l'Égypte antique et célébrant la crue du Nil, la statue d'Amon était transportée dans une barque depuis Karnak vers Louxor au cours d'une grande procession. Des danseurs et des musiciens attendaient les dieux à Louxor et, pendant plusieurs jours, on célébrait dans le grand temple de Louxor des rites destinés à affirmer la puissance du roi-dieu.

La déification renouvelée chaque année du roi vivant et de son pouvoir se déroulait dans la « salle de l'apparition », située derrière la grande salle des pylônes. Dans ce lieu, tout était spacieux et somptueux.

**EN BREF**

**Souverains bâtisseurs**
**Aménophis III :** 1402-1364 av. J.-C.
**Aménophis IV :** 1364-1347 av. J.-C.
**Toutankhamon :** vers 1347-1339 av. J.-C.
**Ramsès II :** vers 1298-1213 av. J.-C.
**1836** Transport de l'un des obélisques de Louxor à Paris, où il se dresse aujourd'hui sur la place de la Concorde
**1995** Découverte du mausolée des fils de Ramsès II
**1979** Inscription au patrimoine mondial de l'Unesco

**Ci-dessus :** l'un des nombreux reliefs royaux du temple de Louxor.

**Ci-contre :** colossale statue assise de Ramsès II dans le temple de Louxor, vers 1220 av. J.-C., hauteur d'environ 7 m. Le souverain assis sur son trône était appelé *Ra-en-hekau*, « soleil des souverains étrangers ».

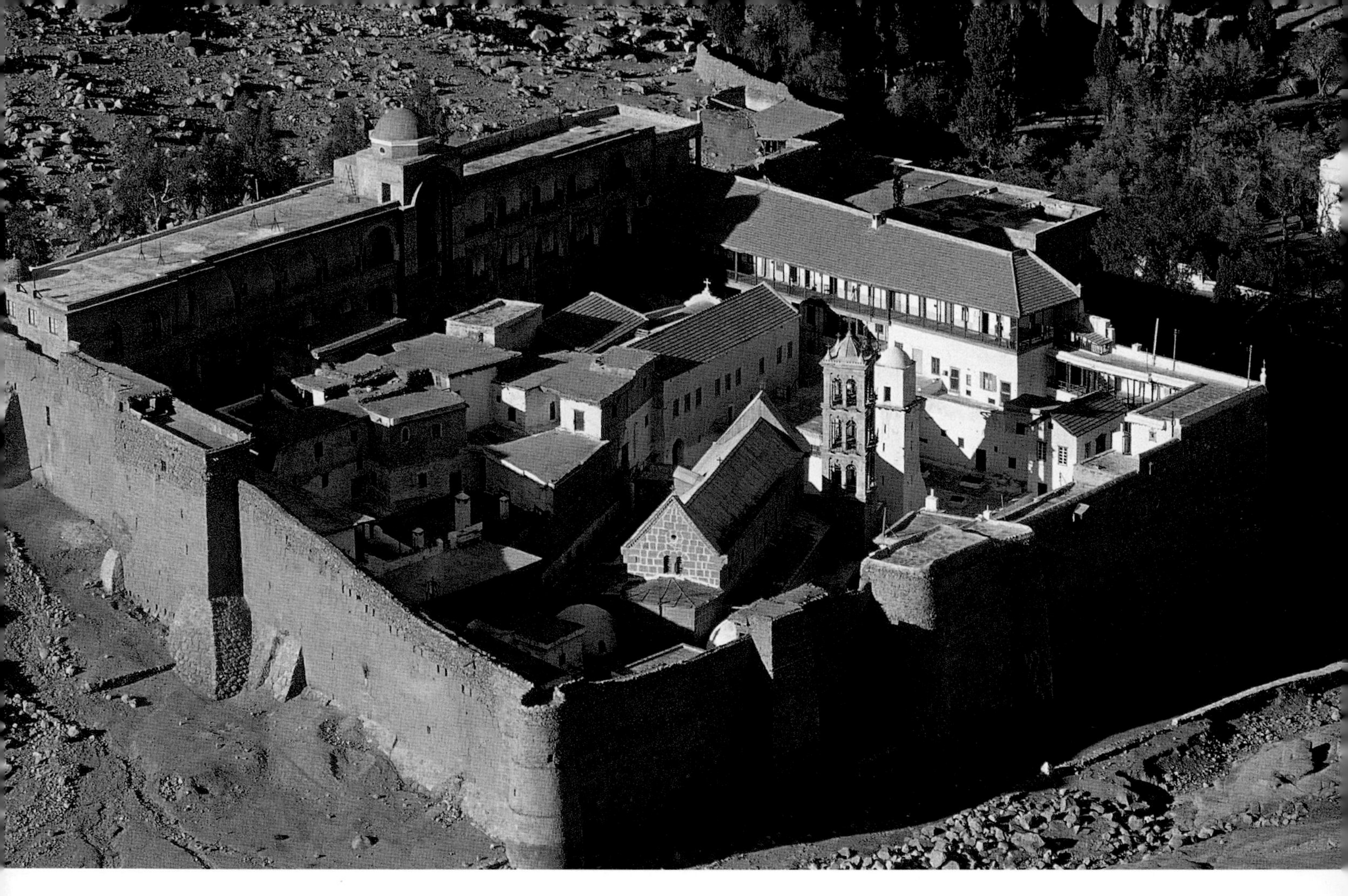

SINAÏ/ÉGYPTE

# Monastère de Sainte-Catherine

LE MONASTÈRE DE SAINTE-CATHERINE, AU PIED DU MONT HOREB, OU MONTAGNE DE MOÏSE, EST L'UN DES PLUS CÉLÈBRES MONASTÈRES ORIENTAUX DU DÉSERT. IL PERPÉTUE LA MÉMOIRE DE L'ÉPISODE DU BUISSON ARDENT ET ABRITE UNE MAGNIFIQUE COLLECTION D'ICÔNES DES DÉBUTS DE L'ART BYZANTIN.

Monastère
de Sainte-Catherine

Le monastère fut fondé entre 548 et 565 mais, d'après l'inscription figurant sur la charpente, l'église et certaines parties de la tour située devant l'édifice dateraient du VIe siècle. Le couple impérial, Justinien et Théodora, ainsi que des architectes locaux originaires d'Aqaba, y sont mentionnés. Les autres bâtiments du monastère ont été constamment rénovés jusqu'à l'époque moderne. La haute muraille qui encercle le monastère et lui donne son apparence si particulière a été construite pour le protéger des bandes de brigands nomades et des pilleurs arabes au VIIe siècle. Du fait de son isolement, le monastère de Sainte-Catherine est l'un des rares monastères à n'avoir jamais été détruit.

**Un lieu de plus en plus sacré.** C'est là, sur le mont Sinaï, ou djebel Moussa, que Moïse aurait reçu les Tables de la Loi (Exode 19 et suiv.). Le lieu était d'autant plus sacré que l'on vénérait, derrière l'abside de l'église, le buisson ardent par lequel Dieu s'était manifesté à Moïse (Exode 3,5). Vint s'ajouter ensuite le culte des reliques de sainte Catherine d'Alexandrie, martyre du IIIe ou IVe siècle qui donna son nom au site.

**Les trésors du monastère.** La bibliothèque du monastère possède une valeur inestimable, elle est la plus

**EN BREF**

**IVe siècle**
Occupation du site par des moines, existence d'une chapelle mariale
**548-565**
Fondation et construction du monastère que l'on voit aujourd'hui
**Vers 610**
Rédaction de *L'Échelle sainte* de Jean Climaque
**VIIIe et IXe siècles**
Période iconoclaste de l'histoire byzantine à laquelle les trésors du monastère ont survécu intacts
**1844**
Découverte du *Codex Sinaïticus*, le plus ancien manuscrit de la Bible, presque complet, par Constantin von Tischendorf
**2002**
Inscription au patrimoine mondial de l'Unesco

**Page ci-contre :** le monastère de Sainte-Catherine du VIe siècle a été entouré d'une haute muraille pour le protéger des hordes de pillards.

**Ci-contre :** l'icône du Christ du VIe/VIIe siècle montre le portrait d'un homme d'âge moyen dont le « réalisme » est appuyé par des moyens picturaux subtils.

ancienne bibliothèque chrétienne ayant été préservée. Les nombreux manuscrits comptent notamment le célèbre traité *L'Échelle sainte*, l'une des œuvres les plus influentes de la spiritualité orthodoxe. Son auteur, Jean Climaque, était l'un des ermites qui vivaient dans les environs du monastère, il ne se réfugiait à l'intérieur de ses murs qu'en cas de danger.

Le monastère possède en outre de nombreuses icônes (plus de 2 000) dont certaines datent des débuts de l'art byzantin et ont survécu, fait exceptionnel, sans être endommagées à la période iconoclaste aux VIIIe et IXe siècles. L'icône du Christ ci-contre est l'une des plus célèbres de ces icônes des VIe et VIIe siècles.

**Ci-contre et ci-dessus :** des mosaïques majeures de l'époque justinienne complètent la somptueuse décoration intérieure de l'église.

MALI

# Tombouctou

TOMBOUCTOU EST LA VILLE LÉGENDAIRE DU DÉSERT MALIEN. TROIS GRANDES MOSQUÉES DATANT DES XIVe, XVe ET XVIe SIÈCLES, DES CIMETIÈRES ET DES MAUSOLÉES EN GLAISE BRUNE SE DRESSENT DANS CE LIEU OÙ LE SABLE RÈGNE EN MAÎTRE.

Vue de loin, Tombouctou est un regroupement irrégulier de blocs de glaise brune dressés dans le sable omniprésent. Trois mosquées se distinguent de l'ensemble rectiligne avec leurs formes élancées et plus rondes. Lorsque Tombouctou tomba sous l'emprise de l'empire du Mali au XIIIe siècle, l'islamisation de la ville commença. Il fallut néanmoins attendre plus d'un siècle pour qu'elle devienne un lieu de pèlerinage. Les mosquées de Djinguereber et de Sankoré furent les premières à être construites aux XIVe et XVe siècles. Leur mode de construction est très contraignant car les enduits extérieurs doivent être refaits tous les ans après la saison des pluies. Les minarets des mosquées ont un squelette en piliers de bois pour stabiliser le matériau de construction trop souple. Au XVe siècle, la mosquée de Sankoré était un centre universitaire, un groupement de différentes écoles coraniques. Le site étant considéré comme un lieu sacré, des étudiants venaient de tout le monde islamique pour étudier et prier dans la cour intérieure de la mosquée. La mosquée de Sidi Yahia est la plus récente de Tombouctou, elle date du XVIe siècle ; contrairement aux autres, elle a été maçonnée. Elle abrite aujourd'hui une école coranique moderne pour les enfants de la ville. Tombouctou connut son apogée culturel et

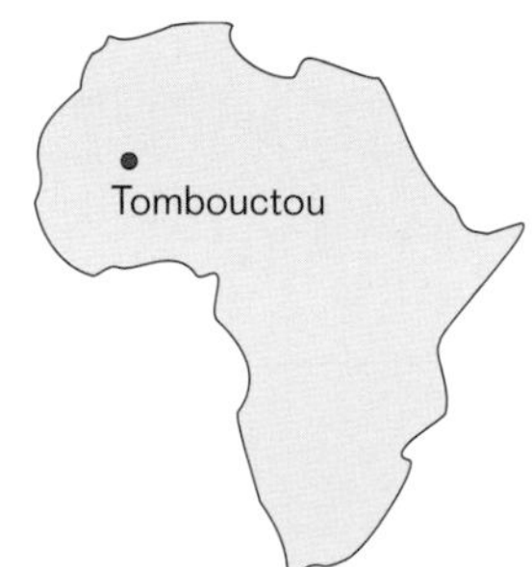

**EN BREF**

Population actuelle environ 35 000 habitants
**Vers 1000**
Première mention dans des chroniques arabes
**1327**
Construction de la grande mosquée
**XIVe au XVIe siècle**
Centre religieux et économique
**1828**
Le Français René Caillé passe 11 jours à Tombouctou
**1894**
Conquête de la ville par les Français
**1988**
Inscription au patrimoine mondial de l'Unesco

**Ci-contre :** la place du marché est l'un des centres de la vie sociale qui, dans le monde islamique, est de plus en plus surveillée par les religieux même en Afrique noire.

**Page ci-contre :** la mosquée de Sankoré construite au XVe siècle a aussi été utilisée comme université, il s'agissait d'un haut lieu de formation.

**Ci-dessous :** panorama sur les bâtiments ocre de la ville. De nombreuses maisons en glaise africaines possèdent un système de climatisation astucieux.

spirituel aux XVe et XVIe siècles, la ville aurait alors compté jusqu'à 180 écoles coraniques.

**Interdite aux non-croyants.** Pour les Européens, Tombouctou relevait plus du mirage que de la réalité. La ville semblait fragile, comme faite de sable, et les denrées alimentaires devaient parcourir des centaines de kilomètres depuis le Niger pour arriver là. Au XIXe siècle, l'accès à Tombouctou était interdit aux non-croyants. L'officier britannique Alexander Gordon Laing fut le premier Européen à y pénétrer en 1826 : il vécut quelque temps dans la ville, mais fut assassiné par un fanatique religieux alors qu'il retournait au Maroc. L'Allemand Heinrich Barth, explorateur de l'Afrique, réussit à atteindre Tombouctou grâce à l'aide de Touaregs arabes. Il parlait couramment arabe et, sous le nom d'Abd El Kerim, passa l'année 1853-1854 dans la ville, où il étudia le mode de vie de ses habitants. Lorsqu'il fut démasqué, il dut prendre la fuite. Il est aujourd'hui possible de visiter librement Tombouctou, mais il est devenu difficile de se faire une idée de sa splendeur d'antan : le centre-ville historique, à quelques exceptions près, est tombé dans la misère et a été déserté à la suite de la guerre civile avec les Touaregs (1990-1996).

ÉTHIOPIE

# Axoum

DATANT DU XVIIe SIÈCLE, L'ÉGLISE SAINTE-MARIE-DE-SION DANS LA VILLE SAINTE D'AXOUM EST LE LIEU LE PLUS SACRÉ D'ÉTHIOPIE. LA CÉLÈBRE ARCHE D'ALLIANCE SE TROUVERAIT DANS LA CHAPELLE DES RELIQUES ADJACENTE À L'ÉGLISE.

Axoum se trouvait autrefois sur les pistes caravanières reliant l'Arabie, la Nubie et l'Égypte, et commerçait activement avec les ports de la mer Rouge et de l'océan Indien, de même qu'avec Rome, la Grèce ou encore Constantinople. C'est ici que se créa le plus ancien empire chrétien du monde et le plus grand en dehors de l'Empire romain, Axoum étant la ville la plus sacrée de la foi orthodoxe éthiopienne. Bien que l'actuelle église Sainte-Marie-de-Sion soit relativement récente, ses fondations sont très anciennes. Saint Ezana, qui était roi d'Éthiopie au IVe siècle, fut converti au christianisme pendant sa jeunesse par deux moines syriens, et, en tant que souverain, introduisit le christianisme à la cour. Avant sa mort, il nomma même l'un de ses professeurs syriens, Frumence, chef de l'Église éthiopienne. Il fit construire l'église en l'honneur de la Vierge, qui se dressa pendant des siècles avant d'être détruite par les musulmans au XVIe siècle. Au début du XVIIe siècle, l'empereur Fasilidas (1632-1667) fit bâtir une église, celle qui existe aujourd'hui, sur les ruines de l'édifice précédent. L'église Sainte-Marie-de-Sion n'est pas seulement un symbole de la force de la foi orthodoxe éthiopienne, mais aussi de l'Éthiopie en tant que nation. C'est là que tous les

**Page ci-contre :** dignitaires religieux lors d'une cérémonie. Une fois par an, l'Arche d'Alliance – un coffre (tabot) recouvert d'un drap de soie – est transportée dans toute la ville en une procession.

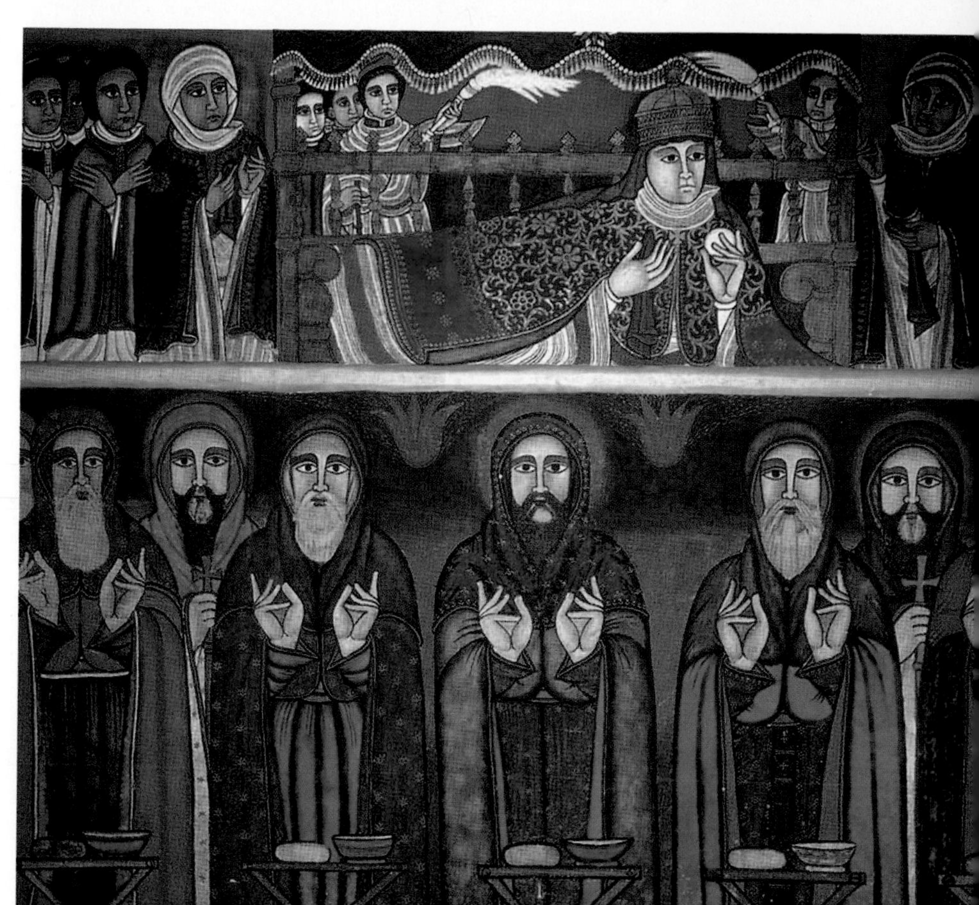

**Ci-contre :** fresques à l'intérieur de l'église. Les représentations des saints qui datent du XVIIe siècle sont fortement stylisées et de couleurs très vives.

empereurs furent couronnés, et, jusque dans les années 1930, l'église offrait un refuge aux criminels. Hailé Sélassié, dernier souverain de la dynastie salomonide d'Éthiopie, fit construire la nouvelle église Sainte-Marie à côté de l'ancienne, ainsi qu'une chapelle reliquaire pour accueillir convenablement l'Arche d'Alliance qui se trouverait ici depuis l'époque du roi Salomon.

**Schisme.** À la fin du Ve siècle, le christianisme se diffusa dans le pays par le biais de missionnaires qui avaient fui l'Empire ottoman. Ces missionnaires étaient des « monophysites », des défenseurs de la doctrine paléochrétienne qui ne reconnaît qu'une nature (divine) au Christ et non deux (divine et humaine). Le monophysisme fut interdit et déclaré hérétique et blasphématoire en 451 par le concile de Chalcédoine en Bithynie, en Asie mineure, qui affirma la doctrine de la double nature du Christ. Cette scission doctrinale est la raison pour laquelle les Églises copte, éthiopienne, arménienne et syrienne jacobite se sont désolidarisées de l'Église universelle. La doctrine monophysite fait aujourd'hui encore partie intégrante de l'orthodoxie éthiopienne.

## EN BREF

**IVe siècle**
Construction de la première église Notre-Dame
**Milieu du XVIe siècle**
Destruction par les troupes d'Ahmed Gragn
**1635**
Reconstruction de l'église par l'empereur Fasilidas
**1955-1964**
Construction de la nouvelle église par l'empereur Hailé Sélassié
**1980**
Inscription au patrimoine mondial de l'Unesco

**Ci-contre :** un diacre portant un sistre (sorte de crécelle nord-africaine) près de la chapelle reliquaire. L'Arche d'Alliance éthiopienne ne peut être vue qu'après avoir été dévoilée par son gardien.

ÉTHIOPIE

# Lalibela

IL Y A PLUS DE 800 ANS, DES TAILLEURS DE PIERRES D'ORIGINE INCONNUE SCULPTÈRENT DES ÉGLISES À MÊME LA ROCHE VOLCANIQUE ROUGE : LES ÉGLISES TROGLODYTES DE LALIBELA, EN ÉTHIOPIE, DANS LA CORNE DE L'AFRIQUE.

Située dans les montagnes éthiopiennes à une altitude de 2 600 m, Lalibela attire aujourd'hui encore des pèlerins orthodoxes qui vénèrent ici une seconde Jérusalem. Les églises creusées dans le roc ont été réalisées avec une telle maîtrise que, d'après la légende, des anges auraient participé à leur construction : les hommes n'auraient jamais pu réaliser seuls de tels édifices. Entre le XIIe et le XIIIe siècle, pas moins de 11 églises taillées dans la roche basaltique rouge ont ainsi fait leur apparition, la plupart possédant plusieurs étages. On distingue les églises « monolithes », construites d'un seul bloc, des églises « semi-monolithes » dont seule la façade a été taillée dans la roche et des églises troglodytes, qui ont été aménagées dans des grottes. Dans le groupe nord se trouvent Bet Medhane Alem, la plus grande église monolithe du monde, ainsi que Bet Maryam, la plus ancienne. Le mot *bet* signifie « maison » en français. L'église Bet Golgotha, « la maison du Golgotha », abrite la tombe de l'empereur Lalibela. Le lieu de culte appelé aujourd'hui Bet Gabriel-Rufael était sans doute autrefois le palais royal.

**Les lieux sacrés d'une ville labyrinthique.** Lorsque Jérusalem fut conquise par les Arabes sous Saladin en 1187, la légende veut que le saint empereur Maskal Lali-

**EN BREF**

**V^e^ siècle**
Diffusion du christianisme en Éthiopie
**IX^e^ siècle**
Progression de l'islam et déclin de l'Empire d'Axoum
**XII^e^ et XIII^e^ siècles**
Sous le règne de Lalibela, apogée de la dynastie des Zagwé en Éthiopie, pendant une période d'environ 120 ans, édification des 11 églises troglodytes monolithiques de la « Nouvelle Jérusalem »
**1978**
Inscription au patrimoine mondial de l'Unesco

**Page ci-contre :** l'église Bet Abba Libanos dégagée sous la roche ; comme les autres églises, il s'agit plus d'une sculpture que d'un édifice architectural.

**Ci-contre :** un prêtre orthodoxe jouant des percussions devant l'une des églises ; en arrière-plan, une peinture sur toile au contenu didactique chrétien.

bela s'attelât à faire renaître Jérusalem « à partir d'une seule pierre » dans la corne de l'Afrique. On ne sait toujours pas avec exactitude comment ces artisans hors pair du XIII^e^ siècle y parvinrent, car l'art de tailler la pierre de cette manière, c'est-à-dire le talent de choisir la roche la plus appropriée pour sculpter un immense monolithe avec un burin rudimentaire, s'est perdu au fil des siècles. Autre point surprenant sur l'habilité de ces tailleurs de pierres médiévaux : tous les aménagements intérieurs et toutes les décorations murales ont été réalisés à la main. Des corniches, des fenêtres et des escaliers ont été sculptés dans la roche avant qu'elle soit excavée afin de créer des colonnes, des arcs et des niches à l'intérieur des édifices. Toutes les églises sont reliées entre elles par des couloirs et des escaliers qui permettent d'accéder aux nombreux sanctuaires situés dans la montagne, de cette mystérieuse ville labyrinthique de la foi orthodoxe éthiopienne.

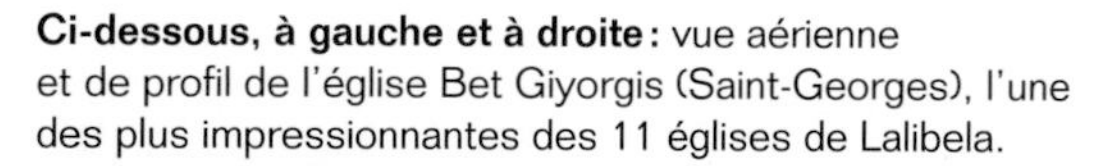

**Ci-dessous, à gauche et à droite :** vue aérienne et de profil de l'église Bet Giyorgis (Saint-Georges), l'une des plus impressionnantes des 11 églises de Lalibela.

BOTSWANA

# Affleurements rocheux de Tsodilo

LES SAN, APPELÉS AUSSI BOCHIMANS, FURENT LES PREMIERS HABITANTS DU SUD DE L'AFRIQUE, LEUR ARBRE GÉNÉALOGIQUE REMONTE TRÈS LOIN DANS L'HISTOIRE DE L'HUMANITÉ. LES AFFLEUREMENTS ROCHEUX DE TSODILO, AVEC LEURS GROTTES ET PEINTURES RUPESTRES, SONT POUR EUX DES LIEUX SACRÉS.

Dans un rayon de plusieurs centaines de kilomètres, les quatre collines de Tsodilo, dont le sommet le plus haut culmine à 1 489 m dans le désert de Kalahari, sont les plus hautes montagnes du Botswana. Ce site proche du delta de l'Okavango est connu pour ses quelque 4 500 peintures rupestres qui lui ont valu le surnom de « Louvre du désert ». Sur seulement 14 km², on peut y admirer la plus grande concentration de peintures rupestres au monde. Ces peintures magnifiques témoignent de l'existence humaine à la préhistoire et surtout des changements environnementaux qui se sont opérés depuis 100 000 ans. Pour le petit peuple des Bochimans, les affleurements de Tsodilo sont des sanctuaires où se trouvent les esprits sacrés de leurs ancêtres. Le monde des ancêtres joue un rôle important en Afrique. Les Bochimans sont adeptes d'une religion animiste, ils interrogent les oracles avec des tessons d'argile, craignent les esprits qui les rendent malades et cherchent à guérir en entrant en transe. Leurs chamans sont pour la plupart des femmes âgées qui possèdent des capacités spirituelles. Dans le mythe de la Création des Bochimans, la plus grande des quatre collines est appelée « l'homme », la suivante « la femme », la plus petite

**EN BREF**

**Tsodilo :**
Plus grande concentration mondiale de peintures rupestres : environ 4 500 activités humaines depuis environ 100 000 ans
**2001**
Inscription au patrimoine mondial de l'Unesco

**Peuple des Bochimans :**
Première colonie d'Afrique du Sud il y a 25 000 ans environ ; ce sont des chasseurs-cueilleurs
**Taille corporelle :**
1,40 à 1,60 m max. (petits « pygmées »)
Seuls 50 000 Bochimans environ vivent encore au Botswana aujourd'hui

**Page ci-contre, à droite et ci-dessous :** ces parois rocheuses couvertes de peintures, la plupart représentant des animaux, sont typiques de la culture des chasseurs-cueilleurs nomades. Un musée a été ouvert sur place en 2001, il fournit des informations sur l'histoire du site et les peintures rupestres.

« l'enfant ». Le quatrième rocher est la première femme que l'homme a quittée pour une femme plus jeune.

**Lieu des rituels les plus anciens.** Des archéologues ont découvert dans l'une des grottes une pierre d'environ 6 x 2 m sculptée en forme de python et ornée d'écailles. Lors de fouilles ultérieures, on découvrit plus de 13 000 artefacts et d'autres peintures rupestres réalisées il y a environ 70 000 ans. Parmi ces artefacts, on a retrouvé des pointes de javelot rouges qui étaient brûlées pendant les cérémonies rituelles. La pierre python était placée devant une petite chambre où les chamans exécutaient leurs rituels. Les fouilles ont prouvé que les hommes célébraient des rituels religieux ici environ 30 000 ans avant la date admise jusqu'alors.

L'Asie n'est pas uniquement le continent le plus grand et le plus peuplé de la planète, c'est aussi le continent où la plupart des grandes religions du monde sont pratiquées. On y trouve les sanctuaires du bouddhisme, de l'hindouisme, du shintoïsme, de l'islam et de très nombreuses religions animistes. Aucun autre continent n'accueille autant de membres de confessions différentes, mais aucun autre ne compte également autant de régions où l'harmonie religieuse est menacée.

# ASIE

JAPON

# Fuji-san, la montagne sacrée

LE MONT FUJI EST LA MONTAGNE LA PLUS VISITÉE AU MONDE. IL EST DEVENU UN VÉRITABLE SYMBOLE DU JAPON. DEMEURE DES DIVINITÉS SHINTOS JAPONAISES, LE MONT FUJI EST LA MONTAGNE LA PLUS SACRÉE DU JAPON.

Avec sa forme parfaite de strato-volcan, le mont Fuji, point culminant du Japon, se trouve à environ 100 km à l'ouest de Tokyo sur l'île principale du pays, Honshu. Lorsque le ciel est dégagé en hiver, on le voit nettement depuis la métropole. L'histoire géologique de cette montagne sacrée a commencé il y a environ 100 000 ans : le mont Fuji se trouve à la jonction des plaques eurasienne, nord-américaine et philippine. La dernière éruption du volcan a eu lieu en 1707 et fut si violente que même Tokyo fut couvert d'une couche de cendres de 15 cm.

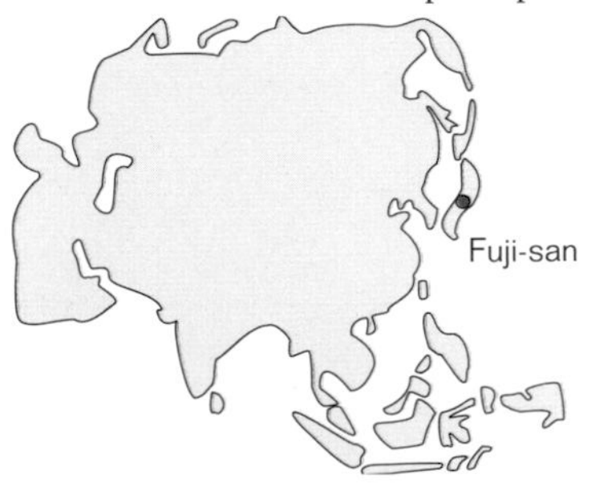


**La montagne la plus sacrée du shintoïsme.** Comme toutes les montagnes du Japon, le mont Fuji est en hiver le lieu de séjour des divinités des montagnes. Il est par conséquent plus particulièrement sacré en hiver, saison pendant laquelle les croyants ne doivent pas en faire l'ascension. Ce volcan est la montagne la plus sacrée du shintoïsme. La religion shintoïste implique la croyance dans les *kamis*, les « êtres supérieurs » ou « divinités ». Ces derniers ne sont cependant pas considérés comme préexistants ou tout-puissants, ce sont au contraire des « forces spirituelles qui peuvent être identifiées comme agissant dans le processus de création de toutes choses dans l'univers ». Le lieu de culte où la divinité est présente occupe

**EN BREF**

Le « nouveau Fuji » a pris son apparence actuelle il y a environ 10 000 ans
La saison « sans neige » va du 1er juillet au 31 août

**Altitude :** 3 776 m
**Première ascension :** en 663 par un moine anonyme
**Visiteurs :** environ 2 millions, dont 200 000 jusqu'au sommet
**Dernière éruption :** 16 décembre 1707 (pendant environ 2 semaines)

une place centrale dans la vie religieuse. Lorsque la neige a fondu, c'est-à-dire lorsque les dieux de la montagne descendent des cimes pour aller dans les rizières des plaines, l'ascension du mont est de nouveau permise. Le premier jour du sixième mois du calendrier lunaire se tient la cérémonie de Yamabiraki, « l'ouverture de la montagne ». Un prêtre coupe une corde tendue entre les deux piliers d'un *torii*, portique traditionnel dans l'architecture shinto. La plupart des pèlerins escaladent le mont Fuji la nuit car, tôt le matin, on peut avoir la chance de jouir de la vue – l'été, la montagne est en effet souvent enveloppée de nuages épais. La majorité des pèlerins empruntent le téléphérique jusqu'à l'une des stations qui se trouvent à une altitude allant de 1 400 à 2 400 m et commencent alors l'ascension à pied. Le chemin de la montagne sacrée ferme de nouveau le 27e jour du septième mois lunaire.

**Ci-contre :** cette photographie d'un pèlerin en route vers le sommet du mont Fuji sur l'île de Honshu a été prise vers 1880.

**Page ci-contre :** le mont Fuji est un strato-volcan parfait comme nous le révèle sa forme conique caractéristique.

**Ci-dessous :** des pèlerins ont glissé ces pièces dans les poteaux d'un temple shinto sur le mont Fuji en guise d'offrandes aux *kamis*.

**Ci-dessous :** un petit autel à offrandes typique avec des fruits, un porte-encens et des fleurs pour les dieux de la montagne.

JAPON

# Sanctuaire shinto d'Itsukushima

POUR LE SHINTOÏSME, L'ÎLE D'ITSUKUSHIMA EST UN LIEU SACRÉ DEPUIS DES TEMPS IMMÉMORIAUX. IL EST INTERDIT D'Y METTRE PIED À TERRE C'EST POURQUOI LE TEMPLE-SANCTUAIRE A ÉTÉ CONSTRUIT DANS L'EAU, SUR DES PILOTIS.

D'après les mythes shintoïstes, lorsque le couple divin Izanami et Izanagi plongea sa lance ornée de joyaux depuis le ciel dans l'océan, les gouttes qui retombèrent de l'arme quand ils la sortirent de l'eau devinrent les îles du Japon : des gouttes venant du ciel des dieux shintos. Dans le shintoïsme, les forces naturelles, les montagnes, les lacs, les animaux, les arbres et surtout les ancêtres sont considérés comme des divinités, ou *kamis*. La religion d'État japonaise comprend ainsi des millions de divinités. Influencée par le confucianisme, le taoïsme et le bouddhisme, cette religion ne possède cependant ni fondateur, ni texte sacré, ni doctrine particulière, ni commandement. Elle se caractérise par la croyance en l'immortalité de l'âme. Le croyant doit agir en harmonie avec la nature et servir l'harmonie de la communauté. Tout ce qui va à son encontre est perçu comme corrompu. Dans ses formes fondamentales – culte de la nature et des ancêtres – le shintoïsme s'est maintenu depuis ses origines jusqu'à l'époque présente.

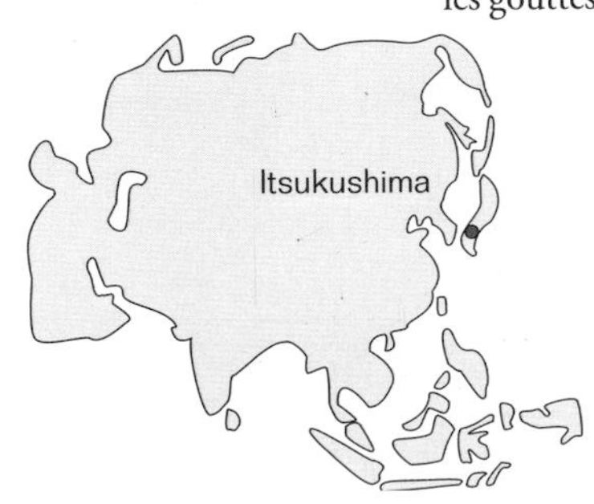


**En harmonie avec la nature.** Lorsque le premier temple fut construit en 593 sur l'île d'Itsukushima, on n'osa pas le poser directement sur le sol car l'île était et est toujours sacrée. On choisit donc de l'installer sur des

## EN BREF

**593**
Construction du premier temple sous l'impératrice Suiko
**881**
Première mention dans un document
**1164**
Construction du temple principal
**1207 et 1223**
Destruction du temple par un incendie
**1571**
Édification du temple actuel
**1996**
Inscription au patrimoine mondial par l'Unesco

**Ci-dessus :** le commandement suprême du shintoïsme est la propreté. On trouve donc partout des fontaines et des bassins pour se rincer la bouche et se purifier.

**Ci-dessus :** le shintoïsme possède des millions de divinités, ce sont donc les lieux de culte qui occupent le devant de la scène dans la vie religieuse et non les divinités concrètes.

**Page ci-contre :** le *torii*, l'entrée du temple, se trouve dans l'eau à marée haute et ne peut être rejoint qu'à marée basse, on le surnomme donc aussi le « torii flottant ».

piliers dans l'eau – il était interdit de mettre pied à terre sur l'île. Le symbole du Japon, l'imposant portique rouge appelé *torii*, se trouve donc devant ce temple, dans la baie. À marée basse, on peut y aller à pieds mais, à marée haute, sa base est immergée. Le temple en bois qui semble presque fragile avec ses centaines de piliers rouges, ses grandes pièces ouvertes et leur transparence symbolise la liberté des kamis d'aller et venir à leur gré. Le sanctuaire d'Itsukushima se distingue surtout par son exceptionnelle et unique beauté car le shintoïsme ne possède ni autel somptueux, ni statue, ni représentation des dieux. Toute l'île est « Dieu », rien ne doit donc y être représenté. L'édifice est ouvert, son intérieur ne fait qu'un avec la nature qui l'entoure. Le sanctuaire est ponctué de bassins où les croyants peuvent se purifier, se rincer la bouche – la pureté intérieure comme extérieure est le seul commandement du shintoïsme.

**Ci-dessous :** le pont de l'empereur élégamment arqué mène au temple aéré soutenu par des centaines de piliers rouges.

JAPON

# Todai-ji

LE NOM DE CE SANCTUAIRE BOUDDHISTE SITUÉ DANS LE SUD DE L'ÎLE D'HONSHU À NARA, CAPITALE DU JAPON AU VIII$^{e}$ SIÈCLE, SIGNIFIE « LE GRAND TEMPLE DE L'EST ».

Le Todai-ji fut construit en 752, en plein apogée de l'époque de Nara, par l'empereur Shomu qui voulait en faire le plus important temple bouddhiste du Japon. Il servait non seulement de lieu de prière, mais aussi de monastère et, en tant que sanctuaire suprême, régnait sur un réseau de monastères bouddhistes dans tout le pays. Ses dimensions colossales répondaient aux canons de l'architecture impériale de l'époque. Le temple et le monastère acquirent une telle puissance que la capitale fut transférée de Nara à Nagaoka en 784 pour réduire l'influence du temple sur le gouvernement. Le temple fut plusieurs fois victime de séismes et d'incendies mais il fut restauré à chaque reprise. Le Todai-ji fut reconstruit dans un style chinois en 1180 sous l'abbé Shunjobo Chogen (1121-1206) après un tremblement de terre. Ces influences chinoises s'expriment aujourd'hui au niveau de la porte sud *(nandaimon)* pour laquelle les sculpteurs Unkei et Kaikei créèrent en 1203 des statues de gardien d'environ 8 m de hauteur. Le temple actuel date de 1709 et ne couvre que deux tiers de sa superficie initiale.

Todai-ji

**Bouddha ouvre les yeux.** Le temple est aujourd'hui le siège du Kegon, une branche du bouddhisme dont les adeptes vénèrent le bouddha Vairocana, « l'égal du

**EN BREF**

**710-784**
Époque de Nara
**724-749**
Règne de l'empereur Shomu
**752-798**
Construction du Todai-ji

La grande statue du bouddha est en cuivre et en bronze ; ses cheveux ont été réalisés avec 966 boules de bronze
**Poids :** 250 t
**Hauteur :** 30 m (avec le socle)

**Page ci-contre :** le Todai-ji, qui date de 752, est le plus grand édifice en bois du monde.

**Ci-contre :** des moines bouddhistes et des fidèles en train de nettoyer la statue de 16 m de hauteur afin de la préparer pour la fête de Bon.

**Ci-dessous :** statue de l'arhat Pindola, un moine qui aurait pratiqué la magie et doit donc rester sur un fauteuil semblable à un trône à l'extérieur du temple. Toucher la statue guérirait les infirmités.

Soleil », le maître qui traverse l'univers. Une gigantesque statue en bronze de Vairocana domine le temple. D'après la légende, 2,5 millions de personnes auraient participé à sa fabrication – ce qui aurait représenté la moitié de la population japonaise de l'époque et semble donc tout à fait invraisemblable. Lorsque le bouddha fut terminé en 751, il avait presque requis la totalité de la production de bronze du Japon. L'imposante statue fut enfin consacrée lors d'une grande cérémonie en 752. Aux côtés de la famille impériale étaient également présents les ambassadeurs de Chine, d'Inde et d'autres royaumes asiatiques ainsi que des centaines de moines. Le point d'orgue de cette cérémonie fut « l'ouverture des yeux » : un prêtre indien juché sur un échafaudage dessina avec un pinceau sacré les pupilles de la statue. On peut admirer aujourd'hui le pinceau sacré ainsi que les cadeaux des invités dans le *Shoso-in*, la salle aux trésors.

La grande statue du bouddha fut elle aussi endommagée pendant le tremblement de terre et dut être de nouveau fondue. La statue actuelle date de 1692.

CHINE

# Taishan, la montagne sacrée

LE TAOÏSME VOIT LA TERRE COMME UN ORGANISME VIVANT. LE TAISHAN, LA MONTAGNE SACRÉE LA PLUS MYSTÉRIEUSE ET LA PLUS SACRÉE DU TAOÏSME, EST L'ENDROIT OÙ SE CONCENTRE L'ÉNERGIE LA PLUS FORTE.

Le taoïsme vénère cinq montagnes sacrées. Quatre d'entre elles représentent les points cardinaux et le Taishan, la plus sacrée, symbolise le centre. D'après la mythologie chinoise, les cinq sommets étaient à l'origine la tête et les membres de Pangu, le premier être vivant du monde, né de la masse originelle et du principe cosmique du yin et du yang. À sa mort, ses yeux devinrent le soleil et la lune, son souffle donna naissance au vent et son corps à la Terre. Le Taishan se situe dans la vallée du fleuve Jaune, dans la province du Shandong, berceau de la civilisation chinoise. Cet « Olympe chinois », comme le surnomma le pasteur et missionnaire allemand Richard Wilhelm en 1926 dans son ouvrage *Die Seele Chinas*, L'Âme de la Chine, est le premier sanctuaire de Chine. En tant que centre de la foi taoïste, il marque la frontière entre le connu et l'inconnu.

**Strict et adapté au monde.** Le taoïsme remonte aux enseignements de deux maîtres ayant vécu au IVe siècle av. J.-C. : Zhuangzi et Lao-Tseu. Ce dernier, auteur du *Daodejing (Tao te king)*, le livre de la voie et de la vertu, est considéré comme le véritable précurseur de cette philosophie et religion. Le taoïsme est considéré comme la doctrine de la voie juste à la fois la plus stricte et la plus

**EN BREF**

L'une des montagnes les plus gravies au monde, avec un record en 2003 : plus de 6 millions de personnes

**Situation :**
Dans la province du Shandong, dans l'est de la République populaire de Chine
**Altitude :**
1 545 m
Ascension par 6 293 marches ou par funiculaire ; dénivelé : 1 350 m
**1987**
Inscription au patrimoine mondial par l'Unesco

adaptée au monde. Né dans une période de guerres constantes, il prêchait en effet la paix, l'harmonie et la compréhension du monde intérieur et extérieur. Toutes les confrontations ne résultent que de l'incapacité à vivre en accord avec la véritable nature de la réalité, le tao. « Le tao est quelque-chose de caché qu'aucun nom ne peut décrire. » « On l'appelle la silhouette sans silhouette, l'image sans image. » « Si l'on va à sa rencontre, on ne peut pas le voir, si on le suit, on ne voit pas sa fin. » Les chefs de cet enseignement secret sont devenus des maîtres de l'alchimie et de la prédiction du futur.

**Le but, c'est la voie.** Plus de 6 000 marches mènent du temple au pied du mont qui est consacré au dieu de la montagne, au temple de l'empereur de Jade, le maître du présent, la plus haute divinité du taoïsme. Avant d'atteindre le sommet en haut d'un escalier de près de 9 km, le chemin est ponctué d'innombrables petits temples, de sources, de bosquets de cyprès, de cascades et de lacs, autant de lieux de recueillement, de prière et d'offrande. D'après la doctrine taoïste, on peut rencontrer chacun des nombreux dieux de cette religion sur la voie menant au sommet, on leur fait donc des offrandes partout et l'on prie pour eux, car le but, c'est la voie.

**Page ci-contre :** après l'ascension des 6 293 marches, les pèlerins atteignent le temple de l'empereur de Jade au sommet du Taishan.

**Ci-contre :** partout sur le chemin menant au sommet de la montagne on retrouve des stèles de prière où l'on fait brûler des billets symboliques en guise d'offrandes et où l'on prie.

CHINE/TIBET

# Palais du Potala à Lhassa

L'IMPOSANT PALAIS DU POTALA À LHASSA EST LE SYMBOLE D'UN POUVOIR TEMPOREL ET RELIGIEUX. IL FUT JUSQU'EN 1959 LA RÉSIDENCE ET LE SIÈGE DU DALAÏ-LAMA, LE CHEF RELIGIEUX ET POLITIQUE DU TIBET.

Dès 637, le roi du Tibet, Songtsen Gampo (vers 617-649), fit édifier un premier palais sur le Mar-po-ri, la montagne Rouge, à 3 700 m d'altitude, soit 130 m au-dessus de Lhassa. Ce ne fut cependant qu'au XVIIe siècle que le cinquième dalaï-lama fit construire un nouveau palais sur les fondations du premier, le siège du boddhisattva « Avalokitésvara dans la terre pure de Dewachen », le dieu protecteur du Tibet. Dans le bouddhisme tibétain, un boddhisattva est un être cherchant un degré de connaissance supérieur et mettant son « infinie vertu » au profit du salut de tous. Avalokitésvara est, en tant que boddhisattva de la compassion universelle, le saint patron du Tibet et le dalaï-lama est son incarnation sur Terre. Son palais est toujours considéré comme le lieu le plus sacré du bouddhisme tibétain et, bien qu'il soit abandonné et qu'il ait été transformé en musée, il reste un lieu de pèlerinage important pour les bouddhistes tibétains.

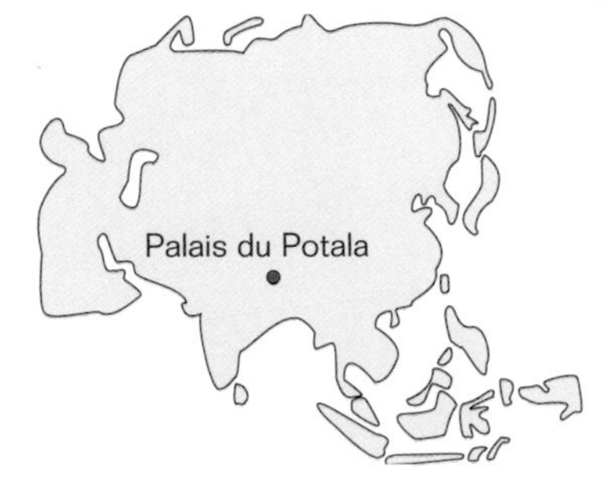


**Le palais Blanc et le palais Rouge.** La construction du temple s'est déroulée en deux phases. Le Potrang Karpo, ou palais Blanc, comprend 11 étages et fut achevé en 165 ; en tant que siège du gouvernement, il représente la partie laïque du Potala. En 1694 suivirent les 13 étages du Potrang Marpo, ou palais Rouge, la partie sacrée de

**EN BREF**

**Lhassa:**
La capitale de la « Région autonome du Tibet », comme la République populaire de Chine nomme officiellement le Tibet, se trouve dans les confins nord de l'Himalaya. Explosion de la population depuis 1950 lorsqu'environ 25 000 personnes et quelque 20 000 moines vivaient dans la ville ou dans les monastères des alentours. La ville compte 475 000 habitants.

**Palais du Potala:**
999 pièces sur une superficie totale de 130 000 m²; 15 000 piliers soutiennent les plafonds; 3 700 kg d'or ont été utilisés pour la tombe du cinquième dalaï-lama

**1994**
Inscription au patrimoine mondial de l'Unesco

**Page ci-contre:** le palais du Potala, situé 130 m en surplomb de la ville de Lhassa, est aujourd'hui encore considéré comme le lieu le plus sacré du bouddhisme tibétain.

l'édifice dans laquelle se trouvent aussi les appartements privés du dalaï-lama. Le « Grand Cinquième » mourut en 1682, mais sa mort fut tenue secrète pendant 12 ans pour ne pas compromettre l'achèvement du palais.

Le palais du Potala comprend des appartements, des salles de prières, des salles de méditation et des temples. Le dalaï-lama n'était pas le seul à habiter ici, le Potala était également la résidence de nombreux moines, ce qui explique la taille du site.

**La région « autonome » du Tibet?** Les troupes chinoises occupèrent le Tibet en 1959 et le déclarèrent territoire national chinois. Le quatorzième dalaï-lama, le moine Tenzin Gyatso, quitta le Tibet. Il se prononce depuis pacifiquement pour l'indépendance de son pays. Cinquante ans d'occupation chinoise et une politique de colonisation intensive ont changé le visage du Tibet mais n'ont pas encore réussi à le priver totalement de son identité culturelle.

**Ci-contre:** une statue de bouddha tibétaine dorée symbolisant l'infinie vertu.

**Ci-dessous:** des pèlerins effectuant le rituel consistant à tourner autour du palais du Potala. Le chemin est bordé de milliers de moulins à prières.

CHINE/TIBET

# Kailash, la montagne sacrée

LE MOT TIBÉTAIN *KANG RINPOCHE* SIGNIFIE « JOYAU DES NEIGES ». IL DÉSIGNE CETTE MONTAGNE SACRÉE DE L'HIMALAYA OÙ LES PÈLERINS VIENNENT DEPUIS PLUS DE 1 000 ANS POUR EN FAIRE LE TOUR.

Pour plus d'un milliard de fidèles de quatre religions asiatiques, le mont Kailash et ses environs sont considérés comme un sanctuaire majeur, comme le symbole de la force religieuse : pour les bouddhistes tibétains, il est le centre de l'univers, pour les Bönpos, religion traditionnelle du Tibet, il représente l'âme du pays, pour les hindous, il est le trône du couple divin formé par Shiva et Parvati, pour les jaïnistes indiens, enfin, il est le lieu où le fondateur de leur religion, Mahavira (vers 599-527 av. J.-C.), connut l'éveil. Dans d'anciens manuscrits bouddhistes et textes en sanskrit, le Kailash est surnommé Meru, le « nombril du monde », l'axe du système mondial.

**Proche des dieux.** Le pèlerinage couvre 53 km et se situe à une altitude de 5 000 m en moyenne. Le parcours est particulièrement difficile, non seulement à cause de la diminution de l'oxygène à cette altitude, mais aussi et surtout en raison des conditions climatiques. Malgré tout, chaque année des milliers de fidèles effectuent ce pèlerinage qui dure trois ou quatre jours. En psalmodiant le mantra *« om mani padme hum »* et en égrenant le chapelet tibétain, ils se sentent à ces hauteurs, dans le silence absolu de l'Himalaya, plus proche des dieux que nulle part ailleurs dans le monde. Le moment le plus important

**EN BREF**

**6714 m**
Dans le Transhimalaya au Tibet
Le sommet n'a jamais été gravi
Reinhold Messner reçut l'autorisation du gouvernement chinois d'être le premier à le gravir – il refusa en disant : « On ne devrait jamais piétiner des dieux changés en pierres avec des chaussures de haute montagne. »

**Page ci-contre :** le monastère de Chiu, au bord du lac Manasarovar et au sud du mont Kailash, est la source du bouddhisme tibétain.

**Ci-contre :** les pèlerins font le tour de la montagne en trois ou quatre jours en empruntant un chemin de 53 km. L'altitude élevée les rapproche des dieux.

du pèlerinage est le passage du col de Dölma-La à 5 600 m d'altitude car, au-delà de ce col, les pèlerins vivent une mort rituelle et laissent symboliquement derrière eux leur ancien Moi sous la forme de cheveux, de gouttes de sang ou d'un petit morceau de vêtement afin de connaître une renaissance rituelle.

Quelques adeptes de la religion bön mesurent le chemin avec leur corps ; il leur faut au moins trois semaines pour faire le pèlerinage de cette manière. Un pas, un mantra, un pas – jouir simplement de la proximité des dieux dans ce sanctuaire naturel. Pour les bouddhistes, la saison principale de ce pèlerinage a lieu pendant le quatrième mois du calendrier tibétain, en particulier le quinzième jour, car c'est à ce moment qu'a lieu la fête de Saga-Dawa, le jour où, il y a 2 500 ans, Siddhârta Gautama, fondateur du bouddhisme indien, est entré dans le nirvana et est devenu Bouddha.

**Ci-dessous :** drapeaux de prière sur le célèbre mât de Tarboche de plus de 25 m de hauteur ; chaque année, la fête bouddhiste de Saga-Dawa est célébrée ici.

INDE

# Gange, le fleuve sacré

DEUX GRANDS SANCTUAIRES DES HINDOUS ET DES BOUDDHISTES, LE TEMPLE DE SHIVA À VARANASI (BÉNARÈS) ET SARNATH, VILLE OÙ BOUDDHA PRÊCHA POUR LA PREMIÈRE FOIS, SONT À CÔTÉ L'UN DE L'AUTRE SUR LES RIVES DU GANGE.

Si le Gange est sacré pour la plupart des religions indiennes, certains lieux qui le bordent le sont également : Bénarès est la ville sainte des hindous, l'une des sept villes saintes de l'Inde. D'après la croyance, l'eau du fleuve sacré purifie des péchés. Les hindous doivent donc se baigner au moins une fois dans ses eaux. De nombreux croyants essaient de mourir au bord du fleuve pour que leurs cendres soient dispersées dans l'eau. Les hindous croient que le dieu Shiva murmure un mantra à l'oreille de tous ceux qui meurent ici. Ce mantra leur évite de se réincarner une nouvelle fois et garantit à leur âme une place durable dans le *swarg*, le paradis. La pratique consistant à répandre les cendres dans le fleuve – dans les cas les plus extrêmes, cela aboutit au dépôt de cadavres à moitié calcinés dans l'eau – est en train de devenir un problème écologique. Les autorités ont donc interdit l'incinération des cadavres sur les *ghâts*, les marches en pierre bordant le fleuve qui permettent aux milliers de pèlerins de se baigner facilement. Le lieu le plus sacré de Varanasi est le temple de Shiva, le dieu des yogis et des moines errants. Il s'agit de l'un des 12 *jyotirlingams* ou lingams de lumière, les temples de ce dieu suprême qui sont répartis dans toute l'Inde. Le *jyotirlingam* représente un pilier de

Gange

## EN BREF VARANASI

**XVe siècle**
Destruction du temple par Qutb ud-Din Aibak, sultan de Delhi

**XVIIe siècle**
Destruction du temple par Aurangzeb, grand moghol d'Inde

**1776**
Construction du temple actuel par la maharani Ahalya Bai

**1835**
Dorure de la coupole avec 1 t d'or par le maharaja Ranjit Singh, roi sikh du Pendjab

**Page ci-contre :** Bénarès ou Varanasi, la ville sainte des hindous sur les rives du Gange, est l'un des centres culturels du nord de l'Inde.

lumière que les croyants vénèrent sous la forme du lingam, une pierre phallique symbolisant Shiva.

**Mise en mouvement de la roue du *dharma*.** Sarnath, l'un des lieux bouddhistes les plus sacrés se trouve à environ 7 km de Varanasi : c'est là que Bouddha prêcha pour la première fois après son éveil. Ce sermon est considéré comme la première mise en mouvement de la roue du *dharma*, l'enseignement de Bouddha. Ce sermon, appelé *Dhammacakkhapavathana Sutta*, entraîna la fondation du sangha, l'ordre des moines errants. Par sa proximité avec la prospère Varanasi, le bouddhisme connut une période florissante à Sarnath au cours des siècles suivants. Au IIIe siècle ap. J.-C., le site devint le centre de l'art bouddhiste et au VIIe siècle, plus de 3 000 moines vivaient ici dans 30 monastères. À la fin du XIIe siècle, Sarnath fut détruit par les Turcs et resta abandonné jusqu'en 1836. À l'endroit où Bouddha aurait fait son premier sermon se trouvent aujourd'hui les ruines du stupa de Dhamekh qui date du IIe siècle av. J.-C. D'un diamètre de 30 m et d'une hauteur de plus de 40 m, il est le témoin colossal d'un âge d'or révolu.

**Ci-contre :** l'entrée du temple de Durga, appelé aussi « temple des singes », est décorée à gauche comme à droite d'une peinture d'une femme à plusieurs bras chevauchant un tigre.

## EN BREF SARNATH

**Du IVe au VIe siècle**
Âge d'or de la période gupta

**1836**
Fouilles et restauration par les Britanniques.
Le musée archéologique de Sarnath abrite quelques-uns des plus grands trésors de l'art bouddhiste, dont le chapiteau à lion de la colonne de l'empereur Ashoka du IIIe siècle.

**Ci-contre :** Bouddha vivait ici, à Sarnath, où il fit son premier sermon après l'éveil.

INDE

# Bodh-Gayâ

BODH-GAYÂ, VILLE DE PLUS DE 30 000 HABITANTS, EST DEPUIS DES SIÈCLES LE LIEU DE PÈLERINAGE INDIEN LE PLUS IMPORTANT. BOUDDHA CONNUT L'ÉVEIL SOUS UN ARBRE DE CETTE CITÉ DU NORD-EST DE L'INDE ALORS APPELÉE URUVELA.

L'arbre de l'éveil a pour nom botanique *Ficus religiosa* et appartient à la même famille que le figuier. C'est une pousse de cet arbre de la *bodhi*, sous lequel Siddhârta Gautama connut l'éveil et devint Bouddha il y a 2 500 ans, qui est vénérée ici à Bodh-Gayâ comme le plus grand sanctuaire du bouddhisme. Le temple de Mahabodhi se trouve juste à côté de l'arbre.

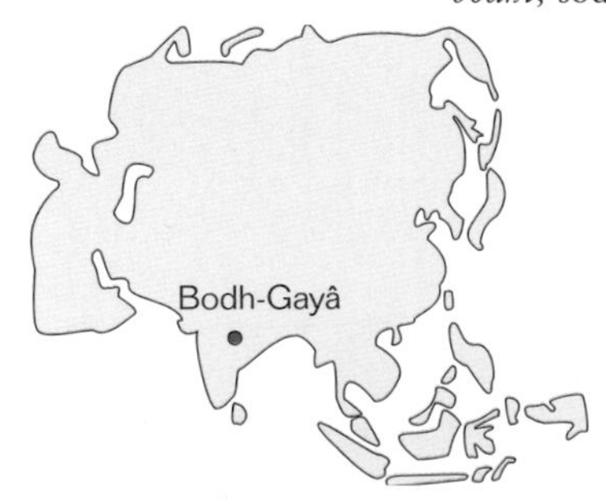


D'après la mythologie bouddhiste, Siddhârta arriva près d'un arbre de la *bodhi* après des années d'ascèse, il s'assit à l'ombre de ses feuilles et décida de ne quitter ce lieu que lorsqu'il aurait connu l'éveil. Au bout de 49 jours et après des luttes interminables contre Mara, le principe bouddhiste du mal, le tentateur, celui qui suscite l'envie et la passion chez ceux qui cherchent le salut, il atteignit finalement son but. Bouddha passa encore une semaine à méditer, puis commença à faire le tour de l'arbre tout en continuant de méditer.

Au IIIe siècle avant notre ère, Sanghamitta, fille de l'empereur Ashoka, le premier souverain bouddhiste de l'Inde, rapporta une bouture de l'arbre de la *bodhi* au Sri Lanka et la planta à Anuradhapura, où l'arbre se trouve toujours aujourd'hui (*voir* la page 178). Selon la légende, la femme d'Ashoka aurait détruit l'arbre originel car elle

**EN BREF**

On ne connaît ni la date de naissance de Bouddha, ni celle de sa mort, mais Siddhârta est considéré comme un personnage historique qui vécut en Inde au VIe ou au Ve siècle av. J.-C.

**1891**
Fondation de la Mahabodhi Society, qui veut remettre Bodh-Gayâ sous contrôle bouddhiste, le site était alors sous autorité hindouiste

**1949**
Loi de Bodh-Gayâ, le site est reconnu comme sanctuaire bouddhiste

**2002**
Inscription au patrimoine mondial de l'Unesco

**Page ci-contre :** devant l'arbre de la *bodhi* se trouve un petit autel avec des dieux hindouistes car Bouddha est considéré par les hindous comme l'incarnation de Vishnou.

**Ci-dessous :** un pèlerin bouddhiste devant les anciens stupas du temple de Mahabodhi non loin de l'arbre sacré.

**Ci-contre :** un moine bouddhiste en train de prier devant l'arbre sacré de la *bodhi*, sous lequel Siddhârta Gautama connut l'éveil en 528 av. J.-C.

enviait le temps que son époux passait à l'ombre de ses branches. Aujourd'hui, tous les monastères bouddhistes possèdent un arbre de la *bodhi*, symbole de l'enseignement bouddhiste, le *dharma*.

**Le centre du monde.** Pour les bouddhistes, l'arbre de la *bodhi* et le temple de Mahabodhi sont le centre du monde et le lieu où tous les bouddhas connaissent l'éveil. Avant l'apparition des représentations de Bouddha, l'art bouddhiste primitif utilisait ainsi un arbre pour symboliser le sacré. L'arbre et son temple attirent chaque année des millions de bouddhistes et d'hindous – pour les hindous, Bouddha est en effet une incarnation de Vishnou.

Au IIIe siècle avant notre ère, l'empereur Ashoka fit ériger une colonne surmontée d'un chapiteau en forme d'éléphant à côté de l'arbre. Au cours des siècles suivants, un petit temple et une enceinte autour de la colonne furent construits, le temple prit sa forme actuelle au IIe siècle. L'édifice tomba en ruines après le XIe siècle et ne fut restauré qu'à partir de 1882 par des bouddhistes birmans. Ce temple est l'un des plus anciens édifices bouddhistes construits en briques.

INDE

# Grottes d'Ajanta et d'Ellora

PENDANT PLUS DE 900 ANS, MONASTÈRES ET DES TEMPLES ONT ÉTÉ AMÉNAGÉS DANS PLUS DE 60 GROTTES SUR DEUX SITES SACRÉS, AU NORD-EST DE L'ÉTAT INDIEN DU MAHARASTRA : CE SONT DES SANCTUAIRES DU BOUDDHISME, DE L'HINDOUISME ET DU JAÏNISME.

Du IIe siècle av. J.-C. au Ve siècle ap. J.-C., les bouddhistes aménagèrent, à environ 100 km au nord de la ville d'Aurangabad, sur la rive escarpée et haute de 80 m du fleuve Waghora, des temples troglodytes et des monastères destinés à être des lieux de prière et de méditation. Les nombreuses fresques témoignent d'un niveau artistique et technique plus avancé que les exemples européens de la même époque. Ces lieux sacrés du bouddhisme furent mentionnés pour la toute première fois par le pèlerin chinois Xuanzang, qui voyagea en Inde de 629 à 645. Ajanta et son histoire illustrée du bouddhisme restèrent dissimulées dans les profondeurs de la jungle pendant plus de 1 000 ans, jusqu'à ce qu'un officier britannique, John Smith, découvre les grottes par hasard lors d'une expédition de chasse en 1819. Cette découverte et sa révélation publique eurent malheureusement des conséquences très néfastes pour les magnifiques fresques, car les chasseurs de trésors et les archéologues amateurs affluèrent par centaines dans les grottes et prélevèrent sans discernement des fragments de fresque sur les murs.

**Les grottes d'Ellora.** Parmi les 34 grottes qui se trouvent à Ellora, seules 12 sont bouddhistes, 17 sont

**EN BREF**

**Ajanta**
Taille moyenne des grottes : 30 x 15 x 4 m
Durée de construction par grotte : environ 30 ans

**Ellora**
Les grottes bouddhistes sont les plus anciennes : **400-800 ap. J.-C.**
Les temples hindouistes sont apparus entre : **600-900 ap. J.-C.**
Les grottes jaïnistes sont les plus récentes : **800-1000 ap. J.-C.**
Le Kailasa est, avec ses 46 m, le plus grand temple. Pour le construire, il a fallu déplacer 150 000 à 200 000 t de roches.

**1983**
Inscription au patrimoine mondial de l'Unesco

**Page ci-contre :** en sept siècles environ, des dizaines de monastères et de temples troglodytiques furent creusées dans la roche d'Ajanta. Ils abritent des fresques uniques.

**Ci-contre :** fresque du bodhisattva Padmapani à Ajanta. Après la découverte des grottes en 1819, de très nombreuses fresques furent détruites par les chasseurs de trésors.

hindouistes et les 5 dernières sont consacrées au jaïnisme, une religion indienne apparue aux v$^{e}$-vi$^{e}$ siècles av. J.-C. qui ne compte aujourd'hui plus que 4 millions d'adeptes environ. Les grottes d'Ellora furent aménagées entre 350 et 700 ap. J.-C., elles sont donc plus récentes que celles d'Ajanta. Elles ne se situent qu'à 30 km au nord d'Aurangabad. Les temples troglodytiques possèdent de magnifiques façades qui sont autant d'exemples fascinants de l'art des tailleurs de pierres indiens. La grotte n° 10 est d'ailleurs consacrée à Visvakarma, le dieu des artisans. Cette grotte, avec son bouddha assis sous un stupa, est à la fois une *chaitya*, c'est-à-dire un lieu de méditation et de prière sur deux niveaux, et un *vihara*, une habitation pour les moines.

**Ci-dessous :** le temple de Kailasa, qui date du VIII$^{e}$ siècle à Ellora, représente le sommet du mont Kailash dans l'Himalaya, la résidence de Shiva.

INDE

# Mahabalipuram

DES HOMMES, DES ANIMAUX, DES DIEUX ET DES SAINTS – TOUS SE RETROUVENT UNIS DANS L'AMOUR ET LE RESPECT MUTUEL SUR LE PLUS GRAND RELIEF DU MONDE QUI REPRÉSENTE LA MYTHOLOGIE DU GANGE : LA VISION HINDOUISTE DU PARADIS DANS UNE HARMONIE ARTISTIQUE PARFAITE.

L'étrange paysage rocheux situé près de Mahabalipuram, au sud de Chennai (Madras), fut transformé en une ville-temple unique il y a 1 500 ans. Plusieurs générations de tailleurs de pierres sculptèrent pendant plus de 200 ans le granit dur des parois de la montagne et donnèrent naissance à de magnifiques temples. À l'époque, Mahabalipuram n'était pas la petite ville endormie qu'elle est devenue, mais un carrefour important. Des réseaux de canaux très ramifiés reliaient les villages et les villes au golfe du Bengale, où se trouvait un grand port.

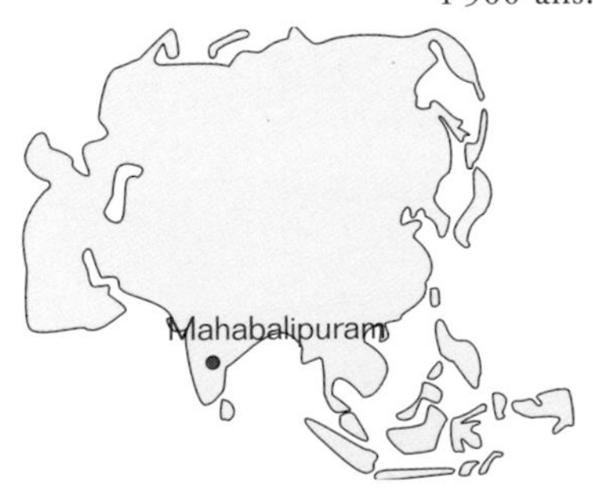


Des pèlerins du monde entier viennent aujourd'hui encore visiter ce lieu sacré car, loin d'être devenus des musées, ces précieux temples anciens témoignent d'une foi toujours bien vivante.

**Un guide vers le salut.** Le roi Narasimhavaram Ier (630-666) de la dynastie Pallava, connu pour sa piété, décida que tous les styles architecturaux et tous les courants religieux devaient être représentés en un seul endroit. Il fit donc creuser d'innombrables temples à même la roche dont le plus exceptionnel est le temple aux sept monolithes. En raison de leur ressemblance avec les chars de procession tirés dans les rues lors des grandes fêtes, on appelle ces temples les *rathas*. Dans l'esprit

**EN BREF**

**600-630**
Début de la construction de Mahabalipuram
**690-715**
Construction du temple du Rivage sous Narasimhavaram II Rajasimha :
le relief mesure 32 x 14 m et est aussi appelé « Pénitence d'Arjuna »
**1984**
Inscription au patrimoine mondial de l'Unesco

**Page ci-contre :** tous les courants religieux et styles architecturaux de l'époque (vers 500 ap. J.-C.) ont été représentés dans les *rathas*, les temples sculptés dans la roche, au sud de Chennai.

d'abondance hindouiste, les temples de Durga, déesse de la guerre et de la bravoure, compagne de Shiva, se trouvent à côté du temple consacré à ce dernier. Le dieu lui-même se tient sur sa monture protectrice, le taureau Nandi, symbole de la fertilité de son maître. Derrière ce temple, le roi Narasimhavaram trône sur un éléphant, entouré de ses épouses. Des inscriptions le louent comme étant le maître du monde. Le flux de pèlerins à Mahabalipuram n'a pas diminué depuis 1 500 ans. Ces derniers touchent la trompe de l'éléphant qui garde l'un des temples et passent la main sur ses lèvres. La religion y est chaque jour bien vivante. La dynastie Pallava se maintint pendant près de 200 ans, puis Mahabalipuram devint la petite ville de province qu'elle est aujourd'hui. Les temples et le relief restent néanmoins un refuge des dieux et un guide vers le salut.

**Ci-contre :** Shiva est souvent représenté en train de danser sur le démon de l'ignorance, Apasmara. Par sa danse, il vainc l'ignorance et recrée l'univers.

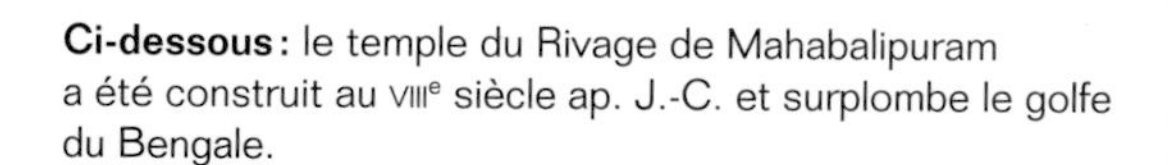

**Ci-dessous :** le temple du Rivage de Mahabalipuram a été construit au VIII^e siècle ap. J.-C. et surplombe le golfe du Bengale.

INDE, THANJAVUR

# Temple de Brihadesvara

LE TEMPLE DE THANJAVUR EXISTE DEPUIS 1 000 ANS. AMÉNAGÉ AUTREFOIS COMME UNE FORTERESSE AVEC SON MUR DE 12 M DE HAUTEUR, IL EST AUJOURD'HUI L'UN DES LIEUX DE PÈLERINAGE HINDOUISTES LES PLUS IMPORTANTS D'INDE.

Au début du XIe siècle, le roi Rajaraja, souverain de l'empire Chola, dont le pouvoir s'étendait jusqu'au Bengale et à l'Indonésie, fit construire un temple d'une taille et d'une beauté incroyables dans sa capitale de Thanjavur (connue aussi sous le nom de Tanjore), à environ 350 km au sud de l'actuelle Chennai. Il le consacra au dieu Shiva. Dans la trinité hindouiste, Shiva est le destructeur, Brahma le créateur et Vishnou le gardien. En dehors de cette triade, Shiva représente toutefois autant le renouveau et la création que la destruction, et porte le surnom de « bon ». Shiva est aussi le dieu des danseurs, de la joie de vivre, du plaisir et de la passion. On le représente la plupart du temps avec sa belle épouse Parvati. En tant qu'incarnation de la création continuelle de vies nouvelles, Shiva est aussi vénéré sous la forme d'un phallus, c'est pourquoi 1 000 lingams, des sanctuaires phalliques au pied desquels les fidèles se recueillent, se dressent dans le promenoir qui fait le tour du site. La dévotion et l'érotisme sont en effet très proches et souvent associés dans l'hindouisme.

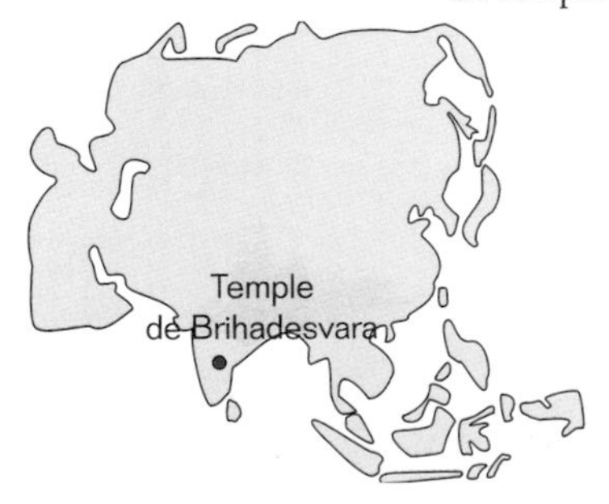


L'imposant sanctuaire fut édifié en seulement six ans. Au nord, on aperçoit l'Himalaya où Shiva trône sur le mont Kailash, la montagne sacrée. Les croyants nom-

**Ci-dessus :** la tour de 64 m du temple de Shiva, un lingam en blocs de granit.

**En haut, à droite :** Shiva, dieu des danseurs et de la joie de vivre, sur l'un des murs du temple qui lui est consacré.

**Ci-contre :** cette fresque du temple de Brihadesvara représente Ganesh, le dieu à tête d'éléphant, fils de Shiva.

ment *vimana* la tour centrale, un colossal lingam de 64 m de hauteur construit avec des blocs de granit. Sur la paroi extérieure de la tour figure une représentation de Bouddha que les hindous vénèrent comme une incarnation de Vishnou. On retrouve à un autre endroit un Christ, sans doute apporté par un missionnaire et adopté par l'hindouisme.

**Esclaves des dieux.** L'hindouisme n'est pas une religion de fanatiques, il implique plutôt méditation silencieuse et prières mêlées d'une joie de vivre exubérante et démonstrative. À son apogée, 400 danseuses, appelées *devadasi*, esclaves des dieux, vivaient dans le temple et servaient les fidèles et les prêtres en s'adonnant à une prostitution rituelle. Dans le sanctuaire de Shiva, on ne danse aujourd'hui plus que lors des grandes fêtes, mais il n'y a plus de *devadasi* car les hindous ne consacrent plus leur fille aînée au temple pour qu'elle devienne une servante divine. L'atmosphère n'est aujourd'hui plus aussi animée dans le temple millénaire de Shiva.

**EN BREF**

**985-1012**
Roi Rajaraja de la dynastie Chola
**1003-1010**
Construction du temple
**à partir de 185**
Thanjavur passe sous l'influence directe du pouvoir colonial anglais
**1987**
Inscription au patrimoine mondial de l'Unesco

INDE

# Amritsar, le temple d'Or

L'*HARMANDIR SAHIB*, OU TEMPLE D'OR D'AMRITSAR, DANS LE NORD DU PENDJAB, EN INDE, EST LE PLUS GRAND SANCTUAIRE DES SIKHS ET LE LIEU DE PÈLERINAGE LE PLUS IMPORTANT DE CETTE RELIGION MONOTHÉISTE FONDÉE AU XVe SIÈCLE.

Le mot *sikh* signifie « disciple », car la vie est considérée comme un processus d'apprentissage éternel. On reconnaît les sikhs pratiquants à leurs turbans savamment enroulés autour de leur chevelure, qui ne doit jamais être coupée. Les sikhs vénèrent un dieu créateur qui n'a ni sexe, ni forme. Les prêtres, les moines ou encore les nonnes sont considérés comme inutiles puisque, selon la croyance des sikhs, chaque homme porte le sacré en lui à tout moment, les intermédiaires entre Dieu et les hommes ne sont donc pas nécessaires. Il importe uniquement de mener une vie bonne et vertueuse. Fondé au xve siècle par Guru Nanak (1469-1539), le sikhisme est donc une jeune religion monothéiste.

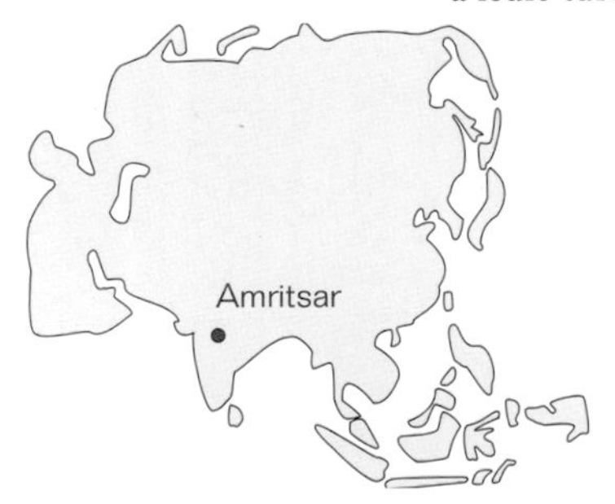


**Tous les hommes sont égaux.** La construction du temple d'Or débuta en 1574, les phases d'agrandissement et d'entretien s'étalèrent sur plusieurs siècles ; le temple fut plusieurs fois attaqué par les musulmans et endommagé. Le temple sacré du sikhisme est ouvert à tous : à Amritsar, les quatre portes situées à chacun des points cardinaux ne sont jamais fermées. Seules obligations pour pénétrer dans les sanctuaires sikhs : il est impératif de se couvrir les cheveux et de ne pas consommer de viande, d'alcool et de drogues, y compris le tabac. Les matériaux

**EN BREF**

**1574**
Donation du terrain pour la construction du temple par l'empereur Akbar
**1601**
Achèvement des travaux de construction
**1780-1839**
Maharaja Ranjit Singh, le « lion du Pendjab »
**2005**
Changement de nom du temple, qui devient l'Harmandir Sahib

**Ci-contre :** des prêtres sikhs devant le livre sacré, le *Guru Granth Sahib* à Amritsar pendant le rituel de Jalau en l'honneur du 343e anniversaire du 10e gourou des sikhs : Guru Gobind Singh.

les plus précieux furent offerts au temple par le maharaja Ranjit Singh, le « lion du Pendjab » et légendaire premier roi du Pendjab uni.

Le véritable sanctuaire central d'Amritsar est le temple d'Or, qui se trouve au milieu de l'Amrit Sarovar, « l'étang de nectar », un lac alimenté par une source souterraine au bord duquel Bouddha aurait médité il y a 2 500 ans. On atteint le sanctuaire par le pont du Gourou, symbole du voyage de l'âme jusqu'à la mort. Le livre sacré des sikhs, le *Granth Sahib*, est apporté chaque soir en une procession qui emprunte le pont jusqu'à son « lit » dans le parlement des sikhs.

Le Guru-ka-Langar est un réfectoire où chaque jour des milliers de personnes, quelle que soit leur appartenance religieuse, reçoivent un repas gratuit. Indépendamment de leur caste, de leur richesse ou de leur statut, les gens s'assoient et mangent ensemble pour montrer l'égalité de tous devant Dieu. Plus de 400 lits sont mis à la disposition des pèlerins.

**Massacre.** En 1984, Indira Gandhi ordonna l'assaut par l'armée de sikhs militants et armés, qui s'étaient retranchés dans le temple d'Or. Cinq cents personnes périrent. Par vengeance, Indira Gandhi fut assassinée quatre mois plus tard par ses deux gardes du corps sikhs, ce qui entraîna un véritable massacre qui fit des milliers de victimes.

**Page ci-contre :** Le lac alimenté par une source souterraine porte le nom de « étang de nectar ». Le précieux temple d'Or d'Amritsar se trouve au centre de ce lac.

**Ci-contre :** le livre sacré des sikhs s'appelle le *Granth Sahib*. Chaque soir, on le transporte dans le parlement après avoir franchi le pont du Gourou.

BIRMANIE

# Bagan

BAGAN, LA « VILLE AUX MILLIONS DE PAGODES » SITUÉE SUR LES RIVES DE L'IRRAWADDY, COMPTE PLUS DE 2 200 TEMPLES ET PAGODES. L'ANANDA PAHTO FUT LE PREMIER TEMPLE DE LA PLAINE ET LA PAGODE DORÉE SHWEZIGON EST L'UN DES ÉDIFICES RELIGIEUX LES IMPORTANTS DE BIRMANIE.

Bagan (anciennement orthographié « Pagan ») fut du XIe au XIIIe siècle la capitale de l'ancien royaume birman, qui couvrit la plaine du fleuve de plus de 4 000 temples pour montrer sa soumission aux dieux. Le premier des grands temples, l'Ananda Pahto, se trouve juste devant les portes de la ville, il est l'un des plus beaux. Sa conception fut influencée sous le roi Kyanzittha (vers 1084-1113) par le récit de huit moines indiens, qui lui avaient raconté leur vie dans la légendaire grotte de Nanadamula. L'Ananda Pahto fut conçu pour être la réplique de cette grotte, un reflet de l'omniscience de Bouddha. Comme l'Ananda était également un monastère, on retrouve à l'intérieur de ses murs les habitations de moines. Quatre-vingts reliefs sculptés dans le grès illustrent la vie de Bouddha, de sa naissance à son éveil. À la fin du XVIIIe siècle, sous la dynastie Konbaung, le temple fut restauré et, pour son 900e anniversaire en 1990, les tours furent dorées afin qu'il regagne toute sa splendeur d'antan.

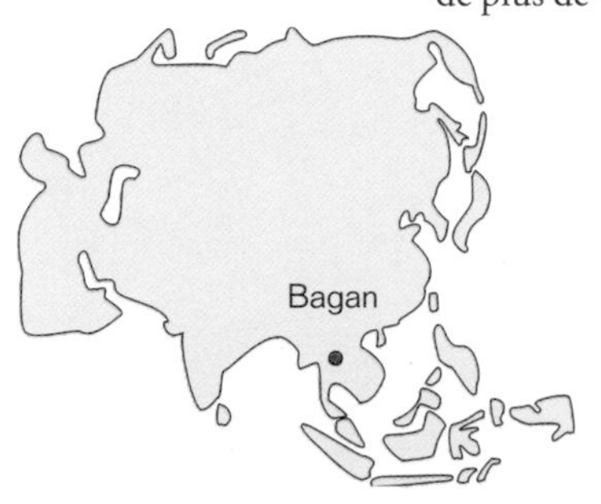


**Shwezigon Paya.** La pagode dorée Shwezigon est l'édifice religieux le plus important de Birmanie. En tant que modèle pour les stupas ultérieurs dans tout le pays, elle signale le tournant entre la religion pré-bouddhiste et le bouddhisme. D'après la légende, l'emplacement du

**EN BREF**

**Ananda Pahto :**
Achevé en 1090
**Cour carrée**
**Longueur :**
53 m
**Hauteur moyenne :**
10,5 m
**Hauteur :**
tour centrale 51 m

**Shwezigon Paya :**
Achèvement
entre 1086 et 1090
**1551-1581**
Grande rénovation après
un tremblement de terre
**Novembre-décembre**
Festival de Shwezigon

**1975**
Séismes occasionnant des
dommages considérables
aux deux temples

**Page ci-contre :** au XIII$^{e}$ siècle, lorsque Bagan était la capitale du royaume birman, 4 000 temples se dressaient dans cette plaine du fleuve Irrawaddy.

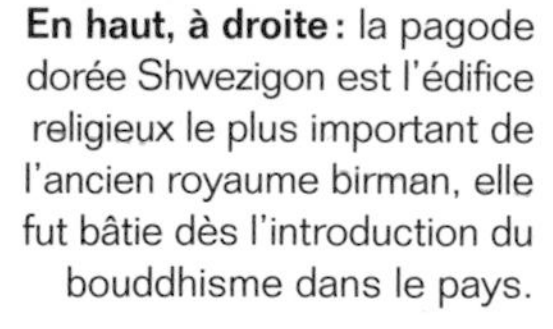

**En haut, à gauche :** la statue dorée de Bouddha dans le temple d'Ananda achevé en 1090.

**En haut, à droite :** la pagode dorée Shwezigon est l'édifice religieux le plus important de l'ancien royaume birman, elle fut bâtie dès l'introduction du bouddhisme dans le pays.

sanctuaire a été choisi par un éléphant blanc. La construction débuta au XI$^{e}$ siècle sous Anawrahta (vers 1044-1077), mais seules trois terrasses du temple étaient terminées lorsque le roi fut tué par un buffle sauvage en 1077. La pagode Shwezigon devint le sanctuaire de plusieurs reliques, dont un os du front et une clavicule de Bouddha, une réplique de la dent de Kandy (*voir* page 182) et un bouddha chinois en émeraude. La donation par le roi Anawrahta des 37 *nats* (esprits), qui représentent un lien entre les religions traditionnelles du pays et le bouddhisme, occupe une place très importante dans l'histoire de la pagode. Le roi mit en place 37 statues de *nats* qui furent par la suite transférées dans une pièce appelée « 37 *nats* » et considérée par les pèlerins comme l'une des plus sacrés du temple (les originaux ayant été dérobés, ce sont des copies que l'on admire aujourd'hui sur place).

**Ci-contre :** moines bouddhistes et novices en train de faire la queue près du temple d'Ananda pour recevoir l'aumône et de la nourriture.

LAOS

# Luang Prabang

LA VILLE SAINTE DE LUANG PRABANG SE TROUVE SUR LES RIVES DU MÉKONG, DANS LES MONTAGNES DU LAOS. ELLE FUT PENDANT DES SIÈCLES LA RÉSIDENCE DES SOUVERAINS LAOTIENS ET LE CENTRE DU BOUDDHISME LAOTIEN.

Le bouddhisme rythme encore aujourd'hui le rythme de vie de cette petite ville, qui compte seulement 12 000 habitants. Enfouie dans la jungle sur les rives du Mékong, la cité est découpée en 32 quartiers et chacun d'entre eux possède son *wat*, c'est-à-dire un monastère bouddhiste. Les moines sont ordonnés dans le Sim, le quartier central, où ils se réunissent également pour prier. Chaque *wat* comporte également les habitations des moines, des stupas renfermant des reliques ainsi qu'une « tour du tambour ». Habituellement, les tours de ce type sont destinés aux cérémonies, mais cette dernière sert aussi de salle d'audience où l'on aborde les problèmes du quartier. Elle doit son nom au tambour que l'on frappe pour rassembler les habitants. La ville est ainsi liée à la religion : tôt le matin, les rues se remplissent des 700 moines et novices qui vivent ici et qui mendient leur nourriture auprès des fidèles pour la journée, aumône qu'ils obtiennent tout naturellement. Les édifices religieux sont comme imbriqués dans les habitations de la population. Ici, dans ce centre de l'art, de la culture, de la science et de l'érudition bouddhistes, croyance et religion sont étroitement liées l'une à l'autre dans la vie quotidienne.

**Page ci-contre :** le Wat Xieng Thong fut construit en 1560 par le roi Setthathirath et se trouve, comme le palais royal, à proximité du Mékong.

**Ci-contre :** statue de Bouddha couché dans le Wat Xieng Thong.

**Épargnée par la guerre.** Le Wat Manolom est le temple le plus ancien de Luang Prabang. Il remonterait à l'époque du roi Fa Ngum, qui unifia le pays au XIV^e^ siècle et introduisit le bouddhisme hinayana, la plus ancienne des deux écoles bouddhistes. Il se fit sacrer premier roi laotien dans ce temple. Les façades et les portes du temple sont ornées de reliefs dorés qui mettent en scène la vie de Bouddha et racontent l'histoire florissante du royaume d'un million d'éléphants. La ville fut une résidence royale jusqu'au XX^e^ siècle et elle est toujours le centre sacré de la foi.

Sans cesse menacé par ses puissants voisins, ce petit pays vécut dans le danger constant. À la fin du XIX^e^ siècle, les puissances coloniales françaises arrivèrent et le soumirent à leur loi. Heureusement, la ville fut en grande partie épargnée par les atrocités des guerres qui en découlèrent. Les dirigeants communistes qui leur succédèrent ne réussirent pas non plus à réprimer la religion : les moines des *wat* continuent d'imprimer leur rythme à la vie de leur ville sainte.

**EN BREF**

**1353**
Fondation du royaume du Lan Xang, le pays à un million d'éléphants
**Depuis 1356**
Lieu de pèlerinage
**1707**
Division du royaume en trois États : Luang Prabang, Vientiane et Champassak
**1893**
Colonie française
**1958**
Renversement de Souvanna Phouma suivi d'une guerre civile
**1975**
Fin de la monarchie, le Laos devient une république démocratique populaire
**1995**
Inscription au patrimoine mondial de l'Unesco

**Ci-contre :** prière du soir des moines et des novices devant une statue de Bouddha dans le *wat* Xieng Thong.

THAÏLANDE

# Ayutthaya

VILLE BÉNIE DES ANGES ET DES ROIS, LA VILLE SAINTE D'AYUTTHAYA, L'UNE DES PLUS GRANDES CITÉS DU MOYEN ÂGE ET RÉSIDENCE DE 33 ROIS, EST NÉE AU XIVe SIÈCLE AU SIAM, L'ACTUELLE THAÏLANDE.

En plus des temples, ce sont surtout les statues de Bouddha qui définissent le visage de la ville sainte. La plus grande, le « bouddha allongé » est associée à une légende : Bouddha délivra un jour un sermon à un démon géant, qui ne le prit pas au sérieux à cause de sa taille et ne l'écouta pas. Bouddha se fit alors un peu plus grand qu'il n'était de manière à dépasser le démon et à le forcer à l'écouter. L'enseignement bouddhiste que l'on peut en tirer est le suivant : le respect que nous porte l'autre vient de la grandeur intérieure et non de l'apparence.

De magnifiques temples et monastères furent construits à Ayutthaya et leurs *chedis*, sortes de tour en forme de cloche, surplombent la ville. Les vestiges de ces monuments transmettent toujours une idée de leur splendeur passée. Ici tout est sacré car, sous les tours des *chedis* et des temples, se trouvent des chambres cachées qui abritent des reliques de saints et de rois, eux-mêmes vénérés comme des dieux. L'homme, et même tout être vivant, devrait s'ancrer dans le monde par ses liens avec ses ancêtres. Le Prang, la tour du Wat Mahathat, qui s'élevait autrefois à 50 m de hauteur, renfermerait une relique de Bouddha. Ce temple et le monastère qui en dépend se trouvaient au centre d'Ayutthaya.

**Page ci-contre :** vue aérienne du Wat Chai Wattanaram construit en 1629 par le roi Prasat Tong, sans doute à l'endroit où le corps de sa mère avait été incinéré.

**Ci-contre :** les temples d'Ayutthaya attirent toujours des moines et des croyants qui s'y rendent ici en pèlerinage.

**Des larmes de tristesse.** Au XVIII^e^ siècle, la ville fut détruite par les troupes birmanes après deux ans de siège. Le royaume toucha à sa fin, les trésors furent pillés et la « ville bénie des anges et des dieux » cessa d'exister. Il y a environ 40 ans, des pillards ont découvert encore deux chambres à l'intérieur du Prang. Ils réussirent à emporter la plupart des trésors et seule une petite partie put être sauvée.

Le Wat Phanom Choeng aurait existé avant même la fondation d'Ayutthaya, ce temple sacré a été totalement rénové et est aujourd'hui le symbole de la ville. Il abrite la plus ancienne et la plus belle des statues de Bouddha d'Asie : le grand Bouddha. Cette dernière se trouvait à l'origine à l'extérieur, devant le temple, pour pouvoir être vue de partout. Une légende circule aussi à son sujet : après la destruction totale de la ville par les Birmans en 1767, des larmes de tristesse auraient coulé des yeux de la statue.

## EN BREF

**1350-1767**
Royaume d'Ayutthaya
**1350**
Fondation de la ville, capitale du royaume, sous Rama Thibodi
**1492-1532**
Construction des *chedis* pour abriter les reliques
**1511**
Découverte du Siam par les Portugais
**1767**
Destruction par les Birmans
**1956**
Début des travaux de restauration
**1991**
Inscription au patrimoine mondial de l'Unesco

**Ci-contre :** l'une des nombreuses statues en pierre de Bouddha assis devant les ruines d'un temple d'Ayutthaya.

CAMBODGE

# Angkor Vat

LE SITE D'ANGKOR VAT, L'UN DES PLUS GRANDS COMPLEXES RELIGIEUX DU MONDE, CONSTRUIT DE 1113 À 1150 PAR LE ROI KHMER SURYAVARMAN II, SE TROUVE NON LOIN DE LA VILLE CAMBODGIENNE DE SIEM REAP.

Le bâtisseur d'Angkor Vat, le « protégé du dieu soleil », fit aménager ce site de manière à ce qu'il soit une représentation du cosmos céleste. Le temple devait être son lieu de sépulture, mais aussi le centre cultuel du dieu hindouiste Vishnou. Conformément aux fondements religieux de la culture khmère, les principes religieux et matériels furent mêlés lors de l'aménagement du temple. L'ensemble du complexe est ainsi entouré d'un fossé rempli d'eau de 200 m de largeur symbolisant la mer originelle qui arrosait le monde habité. Le site possède le plus grand édifice religieux du monde, le Palais céleste, centre du royaume khmer et centre du monde. Une fois passée la grande porte, on entre dans des cours carrées. Dans chaque cour se dresse une tour en forme de fleur de lotus. Du haut de ses 60 m, la tour centrale symbolise le mont Méru, le centre de l'univers hindouiste.

Angkor Vat

**Des dieux pour les dieux.** Suivant les croyances khmères, Angkor fut construit par les dieux pour les dieux, car les souverains du pays se voyaient eux-mêmes comme des dieux. C'est donc l'architecte céleste, le frère de Shiva, souverain aux multiples bras et protecteur du monde, qui édifia ce fantastique bâtiment. Dans la galerie du portail principal se trouve aujourd'hui encore une

**EN BREF**

**Du IXe au XVe siècle**
Apogée de la culture khmère
**1113-1150**
Aménagement d'Angkor Vat sous Suryavarman II dans le quartier sud-est de Yasodharapura
**Vers 1200**
Aménagement de la « grande ville royale », Angkor Thom
**1353, 1393 et 1431**
Incendie et pillage, abandon puis déclin de la ville
**XVIe siècle**
Découverte d'Angkor Vat par des explorateurs portugais
**1860**
Découverte d'Angkor Vat par l'explorateur français Henri Mouhot deux ans avant sa mort
**1992**
Inscription au patrimoine mondial de l'Unesco

**Page ci-contre :** le temple Ta-Prohm est connu pour ses immenses racines d'arbre, ce côté du temple n'a volontairement pas été restauré pour montrer l'état dans lequel le site fut découvert.

grande statue de Vishnou qui représente sans doute plutôt Suryavarman II sous les traits de Vishnou.

**Du barattage de l'océan de lait.** Un relief en pierre du temple représente le « barattage de l'océan de lait » dont l'importance est primordiale dans l'hindouisme. Ce mythe est lié à la croyance selon laquelle le corps du monde serait une baratte remplie de lait. L'océan de lait est entouré par trois montagnes : au centre le mont Méru, résidence des dieux – c'est-à-dire Angkor Vat. Le bâton servant à baratter est le mont Mandara et la corde qui l'actionne le serpent du monde. Les dieux tiraient la corde sur la gauche, leurs ennemis sur la droite : ensemble, ils firent tourner la montagne afin que le lait de la vie devienne du beurre et que de la baratte s'écoule un nectar d'immortalité qui procure délivrance et vie éternelle.

**Ci-contre :** moines bouddhistes devant le temple Banteay-Samre dans le complexe d'Angkor Vat, centre du royaume khmer et donc centre du monde.

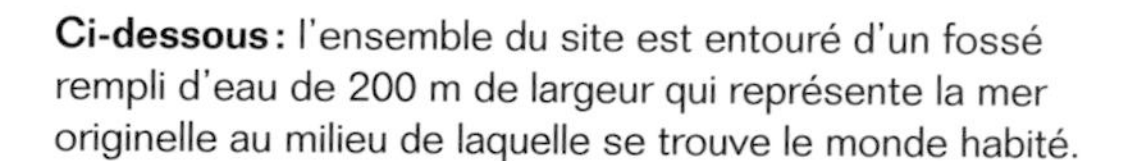

**Ci-dessous :** l'ensemble du site est entouré d'un fossé rempli d'eau de 200 m de largeur qui représente la mer originelle au milieu de laquelle se trouve le monde habité.

SRI LANKA

# Anuradhapura

PENDANT PLUS DE 1 300 ANS, LA VILLE SAINTE D'ANURADHAPURA FUT LE CENTRE DE LA CIVILISATION DU SRI LANKA. ON Y TROUVE L'IMPOSANT STUPA JETAVANARAMA, QUI ABRITERAIT UNE ÉCHARPE DE BOUDDHA.

Anuradhapura est habitée par des moines depuis le x$^{e}$ siècle av. J.-C., mais le site n'est devenu un centre politique et religieux qu'au III$^{e}$ siècle avant notre ère, lorsque Sanghamitta, fondatrice d'un ordre féminin bouddhiste, y rapporta et y planta une bouture de l'arbre de la *bodhi*, ou arbre de l'éveil. À son apogée, la ville exerçait la même influence que des villes telles que Babylone ou Ninive, et ses dimensions étaient tout aussi colossales. Anuradhapura était entourée d'une enceinte rectangulaire et possédait un système d'irrigation sophistiqué, l'un des plus complexes de l'époque. Après sa destruction en 993 par Rajaraja Chola I$^{er}$, Anuradhapura fut désertée et la jungle reprit possession des lieux. Sous les décombres, on découvre des stupas en forme de clocher construits en petites briques séchées à l'air, des temples, des sculptures et d'anciens réservoirs d'eau potable. Les vestiges de la ville furent redécouverts au XIX$^{e}$ siècle par des soldats britanniques. Les palais, les monastères et les temples d'Anaradhapura attirent de nouveau les pèlerins bouddhistes depuis 1870.

**L'arbre de l'éveil.** Le Sri Maha bodhiya, un figuier des pagodes, ou pipal *(Ficus religiosa)*, est l'un des plus anciens arbres vivants dans le monde. La bouture (*voir*

Anuradhapura

**Page ci-contre et à droite :** le mur d'éléphants devant le *dagoba* Jetavanarama. L'éléphant est un animal très populaire dans le sous-continent indien. Dans la symbolique hindouiste, l'éléphant et Ganesh (créature mi-enfant, mi-éléphant) apparaissent alternativement comme porte-bonheur et gardien des temples, mais également des maisons.

page 160) rapportée de Bodh-Gayâ par Sanghamitta en 245 av. J.-C. a été plantée sur une terrasse de 6,5 m de hauteur protégée par une balustrade. Cet arbre est aujourd'hui considéré l'une des reliques les plus sacrées du Sri Lanka, les bouddhistes du monde entier le vénèrent. Un mur a été construit tout autour de l'arbre pour le protéger des éléphants sauvages sous le règne de Kirthi Sri Rajasingha.

**Le *dagoba* Jetavanarama.** Au IIIe siècle, le roi Mahasan (271-301) ordonna l'édification de l'un des plus grands *dagoba* en briques séchées à l'air du monde : le Jetavanarama. Le *dagoba* est une forme d'évolution du stupa typique du Sri Lanka. Le Jetavanarama mesure plus de 100 m de hauteur. Ce colossal *dagoba* était entouré de 3 ha de terrain sur lesquels se trouvaient des monastères où vivaient à l'époque plus de 3 000 moines. Une écharpe, que Bouddha lui-même aurait nouée, se trouverait ici emmurée dans un sanctuaire, ce qui en fait l'un des centres sacrés d'Anuradhapura et de l'ensemble du monde bouddhiste.

**EN BREF**

Robert Knox (1641-1720), un marin britannique, est le premier Européen à voir la ville sainte en 1679

**Situation :**
250 km au nord de la capitale Colombo, une muraille d'environ 26 km encercle la ville
**Superficie intra-muros :**
663 km²
**1982**
Inscription au patrimoine mondial de l'Unesco

**À gauche :** les stupas sont les monuments funéraires bouddhistes en forme de coupole. Le stupa Mahiyangana commémore le premier lieu que Bouddha aurait visité au Sri Lanka.

**Ci-contre :** le roi Dutugamunu fit édifier le stupa Ruwanweli à Anuradhapura il y a plus de 2 200 ans.

SRI LANKA

# Sri Pada, la montagne sacrée

UN AN SUR DEUX, AU DÉBUT DE L'ANNÉE, DE GRANDS PÈLERINAGES ONT LIEU SUR LE SRI PADA, LA MONTAGNE SACRÉE DE TROIS RELIGIONS. LE LIEU EST EN EFFET UN SANCTUAIRE POUR LES BOUDDHISTES, LES MUSULMANS ET LES HINDOUS.

Entre la fin du mois de décembre et le mois d'avril, le sommet du Sri Pada est la destination de grands pèlerinages. On y trouve une gigantesque empreinte de pied, d'environ 150 cm de longueur et 70 cm de largeur, qui donna son nom à la montagne : Sri Pada, « l'empreinte sacrée ». Cette montagne est depuis plus de 1 000 ans le centre d'une coutume religieuse partagée par trois religions, qui voient toutes en l'empreinte une manifestation sacrée. Cependant, avant même que ces religions ne prennent pied sur l'île, le Sri Pada était déjà vénéré par les premiers habitants du Sri Lanka, les Veddas, qui l'appelaient Samanala Kanda, Saman étant l'une des quatre divinités gardiennes de l'île.

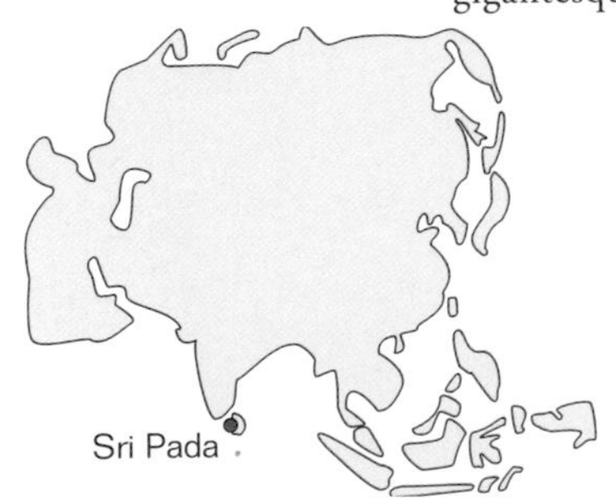


D'après les croyances bouddhistes, qui remontent dans cette région à 300 av. J.-C., la véritable empreinte du pied de Bouddha se trouve sous l'empreinte que l'on peut voir, et reposer sur un immense saphir. Bouddha laissa cette empreinte lors de son troisième et dernier passage sur l'île. Les hindous, eux, y voient la trace du dieu Shiva et de sa danse de la création du monde ; ils appellent cette montagne Sivan Adi Padham. Les musulmans, enfin, pensent qu'il s'agit de l'empreinte du pied d'Adam, qui, après avoir été chassé du jardin d'Éden, fut

**EN BREF**

**Altitude :** 2 243 m, quatrième sommet de l'île

Marco Polo (1254-1324) atteignit la montagne et décrivit sa forme pyramidale

Le navigateur arabe Ibn Batuta (1304-1368) décrivit le Sri Pada comme la plus haute montagne du monde

D'après la légende, les marches et les chaînes d'escalade auraient été installées par Alexandre le Grand (365-323 av. J.-C.)

**Page ci-contre :** l'ascension commence la nuit. Le chemin est bordé de lumières et d'échoppes à thé où les pèlerins peuvent reprendre des forces.

**Ci-contre :** la pagode de la paix japonaise en forme de stupa au pied du Sri Pada.

envoyé par Dieu au Sri Lanka, l'un des endroits sur Terre qui ressemblerait le plus au Paradis, et condamné à y rester sur un pied pendant 1 000 ans. L'islam considère Adam comme un prophète.

**Proche du Paradis.** Les pèlerinages commencent généralement la nuit pour éviter la chaleur écrasante et assister au lever du soleil. L'ascension par le nord, la plus courte, qui s'effectue en partie par des marches et des chaînes aux endroits les plus raides, n'est pas sans danger. Il y a déjà eu des morts et des blessés. Selon les croyances des habitants de l'île, quelle que soit leur appartenance religieuse, le sommet du Sri Pada ne se trouverait qu'à 65 km du Paradis et, de son sommet, on pourrait même entendre le bruissement des fontaines du Paradis.

À côté du temple de Saman avec l'immense empreinte de pied où les croyants font leurs offrandes se trouve un petit temple bouddhiste posé sur une plate-forme avec une cloche que chaque pèlerin sonne après avoir atteint son but sacré.

**Ci-dessous :** un pèlerin devant la grande empreinte de pied dans le temple de Saman, but du pèlerinage.

SRI LANKA

# Temple de la Dent de Kandy

*KANDA-UDA-PAS-RATA* : « LE ROYAUME CACHÉ DANS LES MONTAGNES », C'EST AINSI QUE LES HABITANTS DE LA VILLE ROYALE AU CŒUR DU SRI LANKA APPELAIENT LEUR CITÉ. LE POUVOIR COLONIAL ANGLAIS PEU RESPECTUEUX LUI DONNA EN 1815 UN NOUVEAU NOM : KANDY.

Gautama, le Bouddha, mourut en 480 av. J.-C. et son corps fut incinéré devant les portes de la ville de Kushinagar, située dans le nord de l'Inde. D'après la légende, on sauva quatre dents et une clavicule des cendres sacrées. Lorsque le bouddhisme fut supplanté par l'hindouisme en Inde, les souverains hindous désapprouvèrent le culte des reliques. Dissimulée dans la chevelure d'une princesse, l'une de ces dents serait arrivée au Sri Lanka depuis l'Inde après avoir traversé la mer. On construisit alors le Dalada Maligawa, le temple de la Dent, pour l'abriter. Cette dent est la relique bouddhiste la plus importante du Sri Lanka. Curiosité religieuse, cette dent était par ailleurs inséparable du trône royal : seul celui qui la possédait pouvait être roi. Le quartier du temple et celui du palais sont donc étroitement liés dans le centre de la ville.

Tous les ans, une fête qui dure 15 jours est célébrée en l'honneur de la dent sacrée. La Perahera de Kandy est l'une des fêtes les plus colorées et somptueuses d'Asie. L'ancienne ville sacrée de Kandy déploie alors toute la force d'une foi bien vivante. Les rituels et les cérémonies n'ont d'ailleurs pratiquement pas changé avec le temps. Des centaines d'éléphants parés paradent dans la ville

**Page ci-contre :** un gardien du sanctuaire à l'intérieur du temple de la Dent. Les défenses d'éléphant indiquent que l'accès est interdit aux personnes non autorisées.

**Ci-contre :** le temple de la Dent fait partie du complexe du palais royal. La relique de Bouddha revêtait autrefois une importance particulière : elle légitimait l'ancienne maison royale ceylanaise.

avec des danseurs, des fakirs, des musiciens et des dignitaires venus de tout le pays.

**Profanation par les puissances coloniales.** Le Sri Lanka résista deux siècles à la colonisation par les Hollandais, les Portugais et les Anglais. Le pays resterait invincible, proclamait une ancienne croyance, tant qu'aucune route ne mènerait à Kanda-uda-pas-rata. En 1815, les Anglais écrasèrent le pays et avec lui sa culture, puis profanèrent son plus grand sanctuaire en sortant la dent de son reliquaire. C'était une première dans l'histoire du pays : aucun homme mis à part celui qui l'avait découverte ne l'avait jamais vue. Les Anglais ne restituèrent la relique au temple que 31 ans plus tard. Humilié, le dernier roi du Sri Lanka, Sri Vikrama Rajasingha, signa le 2 mars 1815 l'acte de capitulation de son pays dans la grande salle d'audience où la fin de la domination coloniale et la déclaration d'indépendance de la république du Sri Lanka ne seraient proclamées qu'en 1972. Le pays est aujourd'hui une nation pluriethnique et multi-religieuse. Aux côtés du bouddhisme, l'hindouisme, le christianisme et l'islam sont les religions les plus importantes.

**EN BREF**

**1707-1739**
Construction de l'actuel temple de la Dent sous le règne de Narendrasingha
**1784**
Construction de la salle d'audience
**1798-1815**
Règne du dernier souverain, Sri Vikrama Rajasingha
**1988**
Inscription au patrimoine mondial de l'Unesco

**Ci-contre :** le sanctuaire est ouvert trois fois par jour, moments pendant lesquels des cérémonies en l'honneur de Bouddha sont organisées.

INDONÉSIE

# Borobudur

BOROBUDUR, LE LIEU SACRÉ DE JAVA, EST UN JOYAU DE L'ARCHITECTURE BOUDDHISTE QUI SYMBOLISE LA MONTAGNE COSMIQUE, LE CENTRE DU MONDE, ET INDIQUE LA VOIE DE L'ÉVEIL PAR SES SCULPTURES ORNEMENTALES.

Sous la dynastie des Saïlendra, soit il y a plus de 1 200 ans, de très nombreux bâtisseurs et artisans javanais participèrent, sous une direction avisée, à la construction du plus grand édifice sacré (un stupa) du bouddhisme près de la ville de Yogyakarta. Les dates de construction sont comprises entre 760 et 830. Sur un terrain carré de 110 m de côté se dressent cinq plates-formes superposées surmontées de trois plates-formes circulaires couronnées chacune d'un stupa. Quatre escaliers axiaux mènent au sommet de cette montagne artificielle à la signification cosmique. Les interprètes renvoient à la forme en mandala de l'édifice, bien visible dans son plan schématique, et intègrent dans cette observation les 72 stupas plus petits, les plus de 500 statues de Bouddha et les quelque 1 460 reliefs sculptés. La structure tripartite du site semble faire référence aux trois sphères bouddhistes de l'existence : la sphère des désirs, la sphère céleste et la sphère de l'absence de forme. On a également émis l'hypothèse que Borobudur symbolisait la montagne sacrée Sumeru (la résidence des dieux) dont les multiples circumambulations le long des nombreux reliefs et l'ascension progressive par les pèlerins mèneraient symboliquement au but de la vie.

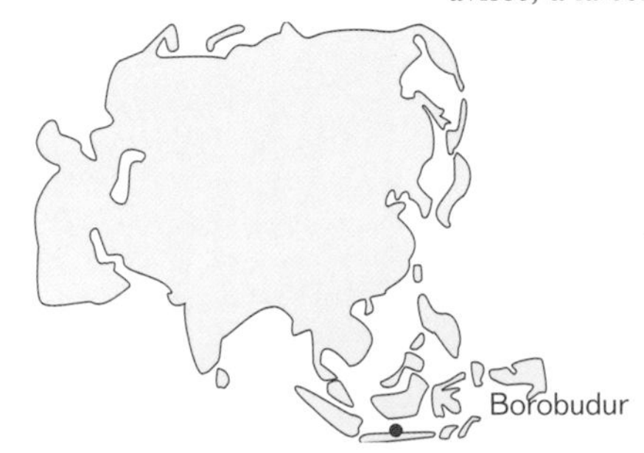

**EN BREF**

**Vers 760**
Début de la construction sous la dynastie des Saïlendra
**1814**
« Redécouverte » du site par un fonctionnaire colonial anglais
**1948**
Études pour la restauration du site
**1973**
Début des travaux de restauration
**1985**
Attentat à la bombe et détérioration de neuf stupas
**1991**
Inscription au patrimoine mondial de l'Unesco

**Page ci-contre :** lors de la « redécouverte » du site au XIX^e siècle, on mit au jour deux chambres vides dans le stupa central de Borobudur. On y conservait sans doute autrefois une relique de Bouddha.

**Ci-contre :** l'un des nombreux reliefs du site. Les 1 460 panneaux narratifs de Borobudur illustrent cinq textes bouddhistes différents et indiquent aux croyants la voie de l'éveil.

**La voie de l'éveil.** L'étude des reliefs menée de 1885 à 1938 a conclu que les 1 460 panneaux illustraient cinq écrits bouddhistes différents. Pour suivre la séquence narrative complète des reliefs du début à la fin, le pèlerin était forcé de faire dix fois le tour du monument. Le chiffre dix n'a pas été choisi au hasard, il désigne le nombre de marches de l'existence que le bodhisattva doit franchir pour atteindre l'éveil. Tous ces éléments donnent à penser que Borobudur pose les questions classiques des mystiques bouddhistes : comment obtient-on des pouvoirs divins et comment atteint-on la libération mentale ? Un grand nombre des scènes représentées sur les reliefs sont néanmoins très concrètes, ce qui les rendait accessibles aux « simples mortels ». Les conseils d'un professeur étaient néanmoins nécessaires pour mieux les comprendre. C'était sans doute autrefois la tâche des moines.

Borobudur renvoie à un passé qui date de plus de 1 000 ans, lorsque le bouddhisme connut un court apogée à Java.

**Ci-dessous :** l'une des 72 statues identiques de Bouddha qui se trouvent sur les terrasses supérieures dans des stupas ajourés et qui, de la main, esquissent le geste de « mise en mouvement de la roue de l'enseignement ».

ISRAËL

# Jérusalem

JÉRUSALEM EST L'UNE DES PLUS ANCIENNES VILLES DU MONDE. LA CITÉ ABRITE DES LIEUX SACRÉS D'UNE IMPORTANCE CAPITALE POUR LES JUIFS, LES CHRÉTIENS ET LES MUSULMANS, ET SE DÉMARQUE PAR SON HISTOIRE AU COURS DE LAQUELLE LES CONFLITS RELIGIEUX, CULTURELS ET POLITIQUES RESTENT NOMBREUX.

Les juifs vénèrent le mont du Temple car c'est là que le roi Salomon, fils du roi David, qui avait conquis la ville en 1003 av. J.-C., fit construire le premier temple pour l'Arche d'Alliance. Seuls les grands prêtres pouvaient accéder à ce lieu et, aujourd'hui, les juifs pratiquants ne pénètrent toujours pas dans l'enceinte du mont du Temple par respect pour leur saint des saints qui se trouvait autrefois ici. Le temple fut détruit par Nabuchodonosor II (vers 640-562 av. J.-C.). On ne lança la construction du second temple, appelé temple hérodien, qu'en 21 av. J.-C. ; il fut à son tour détruit par les troupes romaines. Le second temple fut le dernier asile des juifs pendant la guerre judéo-romaine. Ces derniers allumèrent sans doute eux-mêmes l'incendie qui le ravagea pour éviter qu'il ne soit profané. Les Romains élevèrent à leur tour un temple de Jupiter, qui fut rasé par l'empereur chrétien Constantin. Justinien Ier (482-565), bâtisseur de la basilique Sainte-Sophie de Constantinople (*voir* pages 122-123), fit édifier une église consacrée à la Vierge sur le mont du Temple. Ses deux églises connurent le même sort : elles furent transformées en mosquées. Le rocher sacré de Mahomet dans le dôme du Rocher est celui sur lequel Abraham devait sacrifier son fils Isaac d'après la tradition judéo-chrétienne.

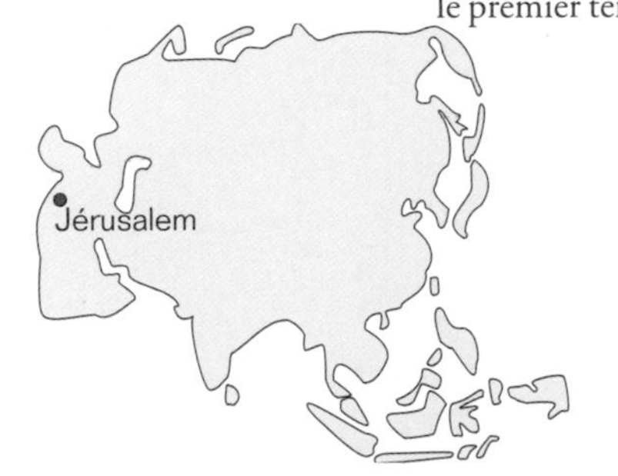

**EN BREF**
**Jérusalem juive**

**Vers 1000 av. J.-C.**
Aménagement du mont Sion
**587 av. J.-C.**
Conquête par Nabuchodonosor, destruction du temple
**66 av. J.-C.**
Révolte des Juifs contre les Romains, destruction du second temple
**1947**
Internationalisation de Jérusalem
**1948**
Destruction partielle du quartier juif lors d'une attaque jordanienne

**Page ci-contre :** le mur de fondation occidental de l'ancien second temple des juifs est un lieu de recueillement fréquemment visité.

**Ci-contre :** des petits billets contenant des prières et des invocations sont glissés dans les interstices entre les grands blocs de pierre du mur du deuxième temple.

**Le « mur des Lamentations ».** Le sanctuaire juif le plus important est le mur de fondation occidental du second temple, qui fait environ 400 m de longueur. Depuis la guerre des Six Jours (5-10 juin 1967), les fidèles sont de nouveau autorisés à prier ici : il s'agissait avant d'une zone jordanienne et les juifs n'avaient pas le droit d'y entrer. En raison de la gestuelle utilisée lors de la prière, ce mur est appelé le « mur des Lamentations ». Un rituel implique notamment de glisser des billets contenant des prières et des invocations dans les fentes du mur.

**La Jérusalem chrétienne.** Les chrétiens considèrent la vieille ville de Jérusalem et le mont des Oliviers tout proche comme les lieux sacrés de la Passion et de la Résurrection du Christ. Les anciens murs de la ville de Jérusalem abritent notamment l'église du Saint-Sépulcre, vénérée comme le lieu de la crucifixion et de la mise au tombeau de Jésus et comme l'un des plus grands sanctuaires de la foi chrétienne. Elle est aujourd'hui le siège des patriarches orthodoxes grecs de Jérusalem et des archiprêtres catholiques du Saint-Sépulcre.

**Un lieu de combat entre chrétiens et musulmans.** Les souverains musulmans édifièrent la mosquée

**Ci-dessous :** l'église du Saint-Sépulcre, le sanctuaire le plus sacré pour tous les chrétiens, comporte, en plus d'éléments commémoratifs majeurs de la Passion du Christ, la chapelle du Saint-Sépulcre, lieu le plus important de l'Église.

**EN BREF**
**Jérusalem chrétienne**

**Année 0**
Naissance de Jésus, début de l'ère chrétienne
**335**
Consécration de l'église du Saint-Sépulcre
**527-565**
Âge d'or de la Jérusalem byzantine
**1887**
Construction de la nouvelle porte pour entrer dans le quartier chrétien

**Ci-contre :** entrée de pèlerins portant des croix dans l'église du Saint-Sépulcre. La croix est le symbole chrétien de la souffrance et du salut.

**Ci-dessous :** l'imposant dôme du Rocher avec sa coupole dorée est le sanctuaire islamique le plus important après les sanctuaires de La Mecque et de Médine.

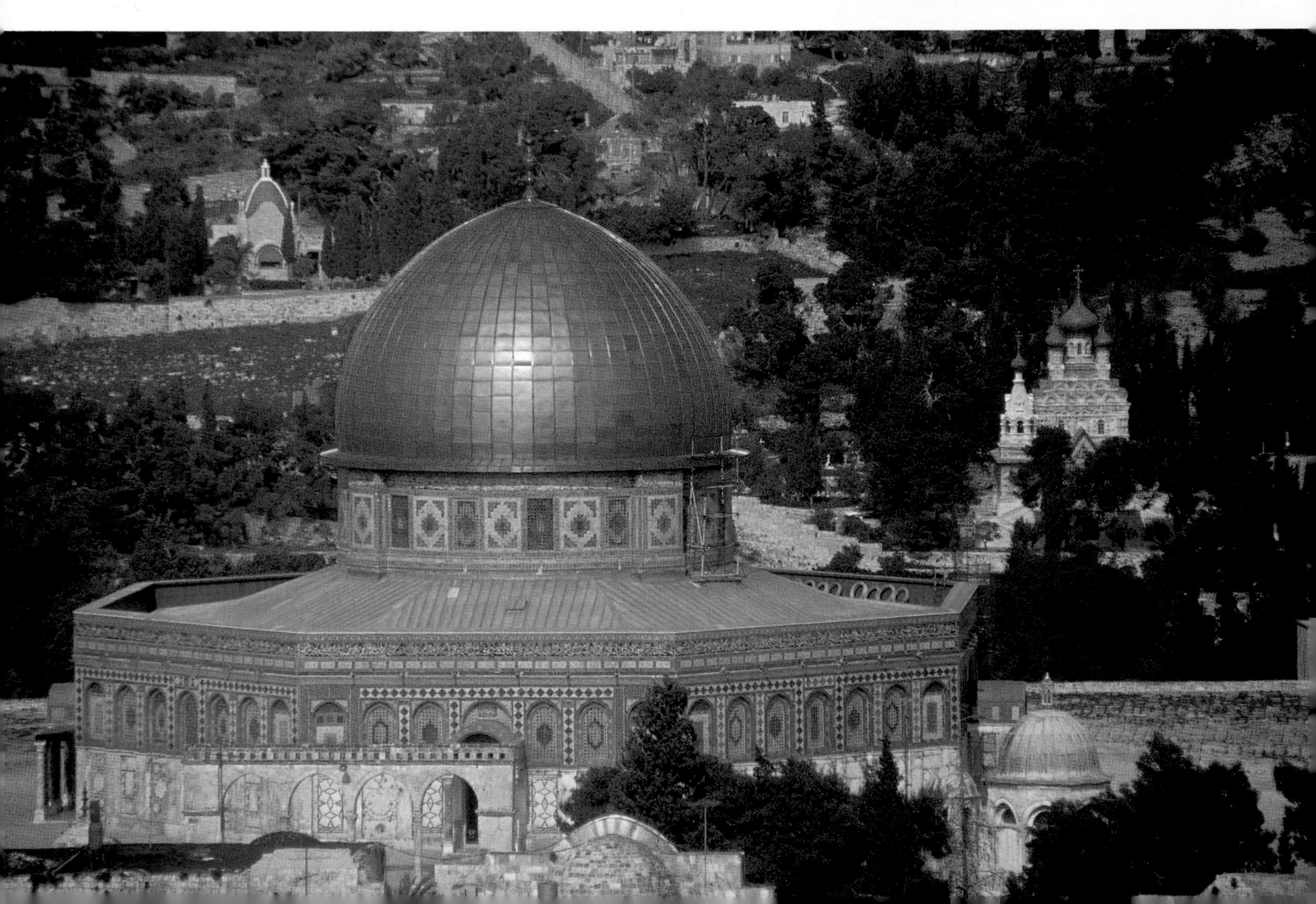

al-Aqsa, le troisième sanctuaire musulman après La Mecque et Médine, sur le mont du Temple à l'emplacement de la basilique Sainte-Marie qu'ils avaient rasée. Les hordes chrétiennes qui attaquèrent la ville lors de la première croisade en 1099 massacrèrent la population : sur la place autour de la mosquée et du dôme du Rocher, plus de 10 000 personnes auraient été décapitées. La mosquée fut rasée à son tour, et une église fut construite et occupée à partir de 1119 par les chevaliers de l'ordre du Temple, fondé la même année par Hugues de Payns (1080-1136). En 1187, le sultan Saladin conquit l'Égypte, la Syrie et la Palestine aux croisés, et l'église consacrée à la Vierge redevint une mosquée. L'histoire mouvementée de la mosquée reste à ce jour source d'instabilité politique et religieuse.

**La Jérusalem islamique.** Pour l'islam, le mont du Temple est sacré car c'est de là que Mahomet partit vers le ciel. D'après la légende, Mahomet, lors de son *al-Isra*, son voyage nocturne de La Mecque à Jérusalem, chevaucha la créature céleste al-Buraq (« l'éclair »), un animal mi-cheval, mi-âne doté d'un visage de femme, et galopa jusqu'à Jérusalem. Il devait y rencontrer les prophètes sur le rocher d'Abraham, lui-même étant le dernier d'entre eux après Adam, Noé, Abraham, Moïse, Jean et Jésus. Par une échelle de lumière, il traversa les sept cieux pour rencontrer Dieu, qui lui enseigna l'art de la prière. La même nuit, Mahomet retourna à son point de départ. Le voyage nocturne est perçu comme un voyage astral, l'état d'être sans corps, le plus haut niveau de l'abandon religieux.

**L'empreinte du pied de Mahomet.** Les musulmans vénèrent l'empreinte du pied de Mahomet sur le rocher, trace qu'il laissa en donnant un coup de pied pour monter au ciel. Le rocher voulut suivre Mahomet, mais Gabriel le retint, laissant les empreintes de ses mains. Le dôme du Rocher fut construit sous le calife Abd al-Malik. Le prophète aurait choisi ce lieu car, d'après la tradition, c'est là qu'Abraham devait sacrifier son fils Isaac. Le dôme du Rocher possède une relique : des cheveux du prophète. Le rituel consiste à faire le tour du sanctuaire.

**EN BREF**
**Jérusalem islamique**

**Vers 570**
Naissance de Mahomet à La Mecque
**8 juin 632**
Mort de Mahomet à La Mecque
**Entre 688 et 691**
Construction du dôme du Rocher, Kubbat as-Sahrah
**1187**
Conquête par l'armée de Saladin
**Juin 1967**
Réunification de la ville
**1981**
Inscription au patrimoine mondial de l'Unesco

**En haut :** des femmes musulmanes dans le dôme du Rocher, construit pour abriter le rocher sur lequel Abraham devait sacrifier son fils Isaac.

**Ci-contre :** dignitaires religieux chrétiens-orthodoxes. Le christianisme orthodoxe est plus marqué par les traditions que le christianisme romain.

CISJORDANIE

# Bethléem

LA VILLE NATALE DU ROI DAVID ET LIEU DE NAISSANCE DE JÉSUS, L'UN DES LIEUX DE PÈLERINAGE LES PLUS VISITÉS DU MONDE, SE TROUVE À SEULEMENT 10 KM DE JÉRUSALEM BIEN QUE, DEPUIS 1995, ELLE N'APPARTIENNE PLUS À ISRAËL.

Depuis la construction de l'église de la Nativité au IVe siècle, Bethléem est devenue un pèlerinage pour tous les chrétiens. Le site possède depuis presque aussi longtemps un monastère fondé au Ve siècle par saint Jérôme, traducteur de l'Ancien Testament de l'hébreu en latin. Il est enterré dans une grotte sous l'église de la Nativité. Bethléem fut une ville florissante jusqu'à l'arrivée des croisés, mais sa population ne cessa ensuite de diminuer. La ville ne reprit de l'importance qu'en 1948, lorsque des milliers de réfugiés palestiniens arrivèrent. Comme Jérusalem, Bethléem est une ville sacrée pour trois religions : pour les juifs, elle abrite la tombe de Rachel, la mère de Joseph, l'un des patriarches des 12 tribus d'Israël ; pour les chrétiens, Jésus y serait né ; pour les musulmans, le prophète Mahomet aurait prêché ici lors de son voyage jusqu'à Jérusalem et aurait dit : « …Gabriel déclara : […] 'c'est ici que ton frère Jésus est né, la paix soit sur lui.' »

**L'église de la Nativité.** Pour les chrétiens, l'église de la Nativité est l'un des plus grands sanctuaires et l'une de ses plus anciennes églises. D'après les évangiles de Matthieu et Luc, Jésus serait venu au monde dans une crèche à Bethléem. Des versions ultérieures affirment néanmoins

**Page ci-contre :** l'église de la Nativité de Bethléem est, comme l'église du Saint-Sépulcre de Jérusalem, liée à l'une des stations les plus importantes de la vie du Christ sur Terre.

**Ci-contre :** c'est là que se trouvait vraisemblablement la modeste grotte dans laquelle le Sauveur chrétien de l'humanité est venu au monde.

**EN BREF**

**327-339**
Construction de l'église de la Nativité par sainte Hélène
**530**
Construction de la nouvelle église par l'empereur Justinien
**1834**
Un incendie, puis un séisme en 1869 détruisent une partie de l'intérieur de l'église
**Depuis 1852**
L'église dépend des Églises catholique et romaine, orthodoxe arménienne et orthodoxe grecque

**Depuis 1995**
Bethléem dépend du gouvernement palestinien. Bethléem vient de l'hébreu *Beit Lechem*, « la maison du pain ».

qu'il serait né dans une grotte. Au début du IVe siècle, sainte Hélène, la mère de l'empereur Constantin, ordonna la construction d'une église au-dessus de la grotte de la Nativité. La première église était octogonale et se trouvait exactement au-dessus de la grotte. Au centre, on avait ménagé une ouverture de 4 m dans le sol entourée d'une balustrade et permettant de contempler le lieu de la naissance. Une partie des mosaïques du sol que l'on peut admirer aujourd'hui date de cette époque. Cette église fut détruite au début du VIe siècle, mais reconstruite en une version plus grande par l'empereur Justinien. Dans la grotte, une étoile en argent portant l'inscription latine « Ici est né Jésus Christ de la Vierge Marie » a été placée sur le sol à l'endroit précis où la naissance aurait eu lieu. Quinze lampes sont suspendues dans la grotte, six appartiennent à l'Église grecque, cinq à l'Église arménienne et quatre à l'Église catholique. La totalité du reste du mobilier est ultérieure au séisme de 1869.

**Ci-contre :** la basilique n'a pas toujours été un lieu pacifique. Au XVIIIe siècle, elle fut le théâtre de conflits entre les différentes confessions chrétiennes quant à son mode d'utilisation ; elle fut occupée en 2002 par des combattants palestiniens.

IRAK

# Ur

LA PREMIÈRE COLONIE DE PEUPLEMENT FUT FONDÉE DÈS LE IV$^{e}$-V$^{e}$ MILLÉNAIRE AVANT NOTRE ÈRE À L'ENDROIT OÙ UR, CENTRE DE L'ANCIENNE MÉSOPOTAMIE ET PLUS ANCIENNE VILLE DE LA CIVILISATION SUMÉRIENNE, ALLAIT ENSUITE SE DÉVELOPPER. C'EST LÀ QUE SE TROUVE LA ZIGGOURAT DU DIEU LUNAIRE NANNA.

Grâce à son système d'irrigation, la Mésopotamie, située entre l'Euphrate et le Tigre, offrait déjà des terres agricoles aux premières heures d'Ur, pendant la période d'Obeïd aux IV$^{e}$ et V$^{e}$ millénaires avant notre ère. Vers 2235 av. J.-C., le roi Sargon fonda à Akkad, après de nombreuses conquêtes, le premier grand royaume. Lorsqu'il s'effondra 200 ans plus tard, il fut repris par Ur et ses souverains de la Troisième Dynastie. La ville-État atteignit alors un apogée qui resta inégalé. Le dieu lunaire Nanna était vénéré en tant que dieu de la ville. De somptueux lieux de culte furent édifiés à Ur en son honneur. Nanna était toutefois accompagné de nombreux autres dieux.

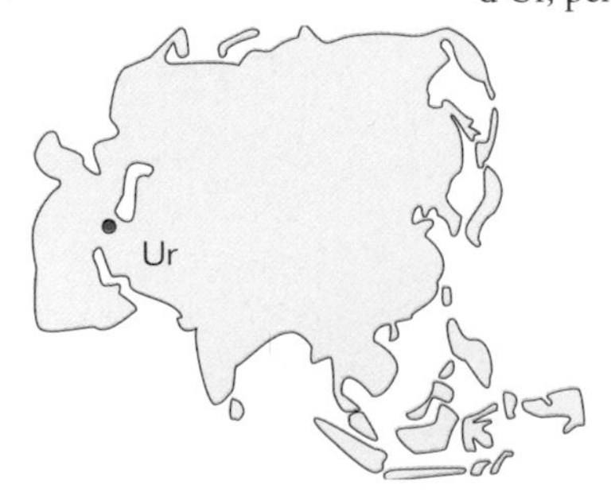


**La ziggourat du dieu lunaire Nanna.** Le temple et la ziggourat (pyramide à gradins) de Nanna se dressaient dans un quartier sacré ceint de murs, le *temenos*. Nanna était considéré à la fois comme le père du dieu soleil et comme le père d'Ishtar. Son symbole est un croissant de lune horizontal, inspiré d'un bateau, dans lequel Nanna se déplace dans le ciel.

Pour le culte du dieu lunaire, le roi Urnammu commença la construction d'un temple sacré, que son fils Schulgi acheva. La ziggourat du sanctuaire, un bâtiment à trois niveaux aux murs imposants, de 25 m de hauteur

**EN BREF**

**Vers 4000-3500 av. J.-C.**
Période d'Obeïd
**2356-2300 av. J.-C.**
Roi Sargon d'Akkad
**204-1940 av. J.-C.**
Ur reprend le royaume sous le règne des souverains de la Troisième Dynastie
**2100 av. J.-C.**
Début de la construction de la ziggourat de Nanna sous le roi Urnammu
**2047-1999 av. J.-C.**
Fin de la construction sous Schulgi (fils d'Urnammu), roi d'Ur
**1922-1934**
Fouilles dirigées par l'archéologue britannique Leonard Woolley qui découvrit la plupart des sépultures royales

**Page ci-contre :** grand escalier menant au sommet de la ziggourat. Le terme ziggourat est d'origine babylonienne.

**Ci-contre :** relief sur un vase représentant des hommes apportant des offrandes au dieu Nanna.

sur une base de 62,5 x 43 m fut couronnée par une sacristie. Le premier niveau mesurait 11 m de hauteur et pouvait être gravi grâce à de larges escaliers qui se rejoignaient au sommet. (Les deux étages supérieurs avaient une hauteur estimée de 5,7 et 2,9 m.) La ziggourat représentait l'alliance symbolique du ciel et de la terre, la fusion entre les hommes et leur dieu. Si l'être divin voulait s'unir avec les hommes, il devait descendre du ciel et aller jusqu'au temple principal au pied de la ziggourat. C'est là que les hommes faisaient des offrandes à leurs dieux. Le *temenos* et les temples sacrés dominaient la ville et les rites religieux déterminaient la vie de ses habitants.

Le culte des morts occupait une place importante dans la vie religieuse. Lors des fouilles, on a découvert plus de 2 000 sépultures, certaines contenant plus de 70 squelettes. Presque toutes datent d'une époque allant de 2600 à 2500 avant notre ère. Les corps des rois défunts étaient accompagnés dans l'au-delà par des dignitaires et des guerriers, ils avaient été endormis et tués avec les animaux qui tiraient les chars.

**Ci-dessous :** les tours étagées connues sous le nom de ziggourat servirent de modèle primitif à la conception biblique de la tour de Babel.

IRAN

# Sanctuaire de l'imam Reza

MASHHAD, CAPITALE DE LA PROVINCE DE KHORASAN DANS LE NORD-EST DE L'IRAN, EST LA DEUXIÈME PLUS GRANDE VILLE DU PAYS. ELLE EST CÉLÈBRE POUR SON MAGNIFIQUE LIEU DE PÈLERINAGE, LE SANCTUAIRE DE L'IMAM REZA.

Dans le monde musulman, un imam est le guide d'une communauté, le chef de prière dans la mosquée, mais c'est aussi un titre honorifique attribué aux plus grands érudits. Pour les chiites, l'importance des imams en tant qu'hommes commandités par Dieu est telle qu'ils leur vouent un culte. Reza vit le jour en 765 à Médine et se fit rapidement connaître pour sa grande spiritualité et son immense savoir. Alors qu'il était âgé de 51 ans, il fut convoqué par le calife Mahmoun à Sanabad, qui le désigna publiquement comme son successeur et lui donna la main de sa fille. Les membres de sectes chiites célébrèrent cette nomination, tandis que les sunnites la rejetèrent. La situation dégénéra en insurrection. Ensemble, Mahmoun et Reza se mirent en route pour Bagdad dans le but de reconquérir la ville, mais Reza tomba gravement malade pendant le voyage. Sa mort subite donna aux chiites l'occasion d'accuser Mahmoun de l'avoir empoisonné pour apaiser les sunnites qui s'étaient révoltés contre sa nomination en tant que calife dans cette région majoritairement sunnite. Le calife pleura cependant avec sincérité la mort de l'imam et lui fit construire en 818 un mausolée à côté du tombeau de son père Haroun al-Rachid. La suspicion des chiites

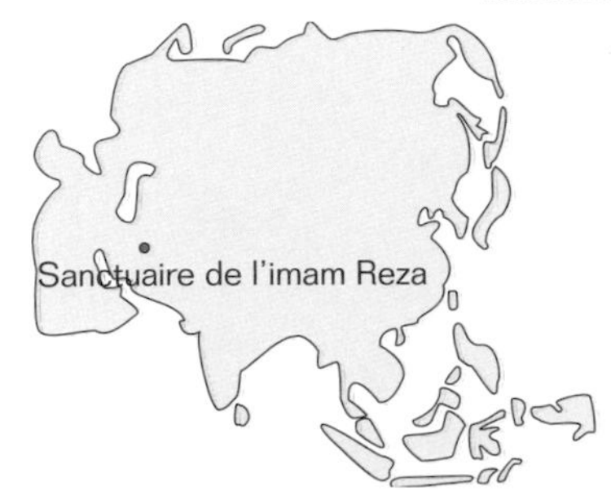

**Page ci-contre :** les coupoles et les minarets somptueusement décorés du sanctuaire de l'imam Reza caractérisent le visage de Mashhad.

**Ci-contre :** les millions de pèlerins qui viennent chaque année posent régulièrement de gros problèmes d'organisation à la ville.

envers Mahmoun perdura et la ville de Sanabad devint rapidement un lieu de pèlerinage. Son nom fut modifié en Mashhad ar-Rizawi : « lieu du martyr de Reza ».

**Vingt millions de pèlerins.** La légende selon laquelle un pèlerinage au sanctuaire de l'imam Reza correspondrait à 70 000 pèlerinages à La Mecque fit rapidement son apparition et le tombeau devint bientôt un lieu sacré qui attira des milliers de pèlerins venus de toute la Perse. Vers la fin du Xe siècle, le sanctuaire fut détruit par le sultan Sabuktagin, mais son fils, Mahmoud de Ghazni, le reconstruisit à peine quelques années plus tard. Au début du XIIIe siècle, les Mongoles pillèrent le mausolée et la ville mais, 100 ans plus tard, le sultan mongol Muhammad Khudabandeh se convertit au chiisme et fit rebâtir un sanctuaire encore plus splendide.

Pendant la domination des rois safavides, de 1501 à 1786, sous lesquels le chiisme devint religion d'État, le complexe du tombeau fut transformé pour devenir plus somptueux qu'il ne l'avait jamais été : des coupoles dorées, des minarets recouverts de carreaux de faïence, de vastes jardins et des cours spacieuses furent aménagés. Ce sanctuaire, qui est l'un des sept lieux sacrés de l'islam chiite, se compose aujourd'hui de deux mosquées, de plusieurs **medersas** (écoles coraniques ou établissements d'enseignement islamiques), de musées et de plus de 20 autres bâtiments. Chaque année plus de 20 millions de pèlerins visitent ce lieu sacré.

## EN BREF

**818**
Mort d'Imam Reza, construction de son premier mausolée
**993**
Destruction du mausolée par le sultan Sabuktagin
**1009**
Reconstruction par Mahmud de Ghazni
**1220**
Destruction par les Mongoles
**1304-1316**
Règne du sultan Muhammad Khudabandeh
**1912**
Les troupes russes endommagent le sanctuaire

**Ci-contre :** les pierres sculptées et les mosaïques précieuses ornent le grand mur et l'arc enfoncé dans la cour intérieure du sanctuaire.

ARABIE SAOUDITE

# La Mecque

LA MECQUE, LIEU DE NAISSANCE DE MAHOMET (VERS 570), PROPHÈTE ET FONDATEUR DE LA RELIGION MUSULMANE, ABRITE LA PLUS GRANDE MOSQUÉE DU MONDE : LA MOSQUÉE AL-HARAM ET SON SANCTUAIRE CENTRAL, LA KAABA. DES MILLIONS DE MUSULMANS VIENNENT CHAQUE ANNÉE EN PÈLERINAGE POUR VISITER CE LIEU.

Selon la légende, la Kaaba, l'un des sanctuaires de l'islam, fut construite par Adam, le premier prophète. Abraham et son fils Ismaël découvrirent cet édifice oublié et abandonné, et le reconstruisirent – ces personnages jouent un rôle décisif dans l'islam, mais aussi dans la foi chrétienne et juive. Le culte de la « pierre noire » existait déjà à La Mecque à l'époque préislamique. Des fragments de cette pierre ont été encastrés dans les murs de la Kaaba. D'un point de vue rationnel, la pierre noire de la Kaaba serait une météorite, mais aucune analyse géologique n'a encore prouvé cette hypothèse. D'après la légende religieuse, Abraham reçut la pierre de l'archange Gabriel ; selon une autre légende, elle aurait été blanche à l'origine, mais aurait noirci au fil des siècles à cause de la souffrance engendrée par les péchés du monde. La mosquée al-Haram donne la *qibla* – la direction de la prière – à tous les musulmans du monde qui se prosternent vers elle cinq fois par jour pour accomplir leur devoir de prière.

La Mecque

**Le *hajj*, le pèlerinage sacré.** Le *hajj* se déroule traditionnellement pendant le douzième mois du calendrier lunaire islamique. Ce calendrier débute (suivant le calendrier grégorien) le 16 juillet 622, jour de la fuite du prophète de La Mecque *(hijra)*. Comme le calendrier

**EN BREF**

Depuis 632, la Kaaba est un sanctuaire strictement islamique

**Vers 570**
Naissance de Mahomet à La Mecque
**Grande mosquée**
**Superficie :**
356 800 m²
**Capacité d'accueil à l'intérieur :**
environ 800 000
**Volume de la Kaaba :**
12 x 10 x 15 m

**Ci-dessous :** certains détails du « grand pèlerinage » présentent une forte influence arabe ancienne, notamment l'idée d'une « paix divine » existant autour du sanctuaire – une sorte de droit d'asile et de garantie d'immunité.

**Page ci-contre :** la Kaaba dans la grande mosquée. Pendant le pèlerinage à La Mecque, devoir de tous les musulmans, les fidèles font sept fois le tour de la Kaaba.

**Ci-contre :** pour permettre aux nombreux pèlerins de lapider symboliquement le diable, plusieurs répliques de l'obélisque sont mises en place.

lunaire est plus court que l'année solaire, les dates changent tous les ans. Le mois du pèlerinage Dhu I-hiddscha (lune du pèlerinage) est considéré comme sacré dans le monde islamique. Les jours qui s'écoulent entre le huitième et le treizième jour, où a lieu la fête du sacrifice Id ul-Adha, marquent le point d'orgue du pèlerinage : jusqu'à 3 millions de fidèles se réunissent alors à La Mecque et font de la ville sainte le plus grand lieu de rassemblement du monde.

Mahomet appartenait à la tribu de Koraïchites qui descend d'Abraham. Au début du VIe siècle, ils prirent le contrôle de La Mecque et du sanctuaire de la Kaaba. Le prophète prêcha le monothéisme et annonça le jour du Jugement Dernier. Il fut confronté à une hostilité de plus en plus forte. Le 16 juillet 622, il s'enfuit avec ses disciples à Médine et revint huit ans plus tard. Il reconquit La Mecque et fit de la Kaaba un sanctuaire islamique. Le pèlerinage annuel, le *hajj*, devint l'un des rituels les plus importants du monde islamique.

**Djamarat al-Aqba.** Une partie très impressionnante du *hajj* annuel est la « lapidation » de l'obélisque en pierre « Djamarat al-Aqba » près de La Mecque, un lieu qui est également considéré comme un lieu sacré. L'obélisque représentant le diable et les croyants lui lancent donc des pierres pour le « lapider ».

ARABIE SAOUDITE

# Médine

AL-MASJID AN-NABAWI, LA « MOSQUÉE DU PROPHÈTE », À MÉDINE EST LE DEUXIÈME LIEU LE PLUS SACRÉ DE L'ISLAM. ELLE SE TROUVE À L'ENDROIT OÙ MAHOMET LUI-MÊME ÉDIFIA AUTREFOIS UNE MOSQUÉE, C'EST AUSSI LÀ QUE SE TROUVE SA TOMBE.

La première mosquée se développa à partir de la maison dans laquelle Mahomet s'installa avec sa famille lorsqu'il arriva à Médine en 622 ap. J.-C. Cette première mosquée était un bâtiment rectangulaire dépourvu de toit d'environ 30 x 32 m avec une plate-forme surélevée depuis laquelle on lisait le Coran. Les murs étaient en palmier et en boue séchée. On entrait dans la mosquée par trois portes : Bab Rahmah au sud, Bab Jibril à l'ouest et Bab al-Nisa' à l'est. Ce plan de construction s'est perpétué jusqu'à ce jour pour toutes les mosquées du monde. Autrefois, la *qibla*, l'orientation de la prière, était dirigée vers le nord, vers Jérusalem. Elle ne se tourna vers La Mecque que plus tard. En plus de lieu de prière, la mosquée servait de tribunal, de maison communautaire et d'école religieuse.

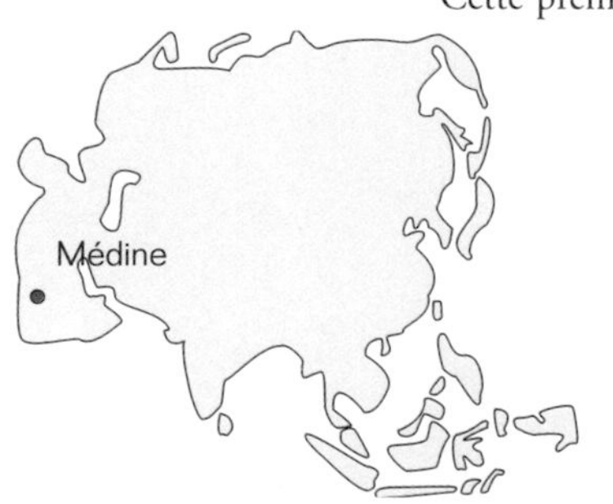


**Une expansion rapide.** Sept ans plus tard, cette première mosquée avait doublé de taille car le nombre de fidèles n'avait cessé d'augmenter. Au cours des siècles suivants, elle fut sans cesse agrandie, pour la première fois en 707 par le calife al-Walid, qui fit abattre l'ancienne enceinte et construire au même endroit une mosquée plus grande qui englobait la maison du prophète et sa tombe. Cette mosquée mesurait 84 x 100 m et disposait d'un toit en teck, ses murs étaient ornés de mosaïques

**EN BREF**

**Situation :**
Médine se trouve dans la province d'Al Madinah (Médine)

**622**
Construction de la première mosquée

**707**
Premier des nombreux agrandissements, en tout dix minarets d'une hauteur allant jusqu'à 105 m

**Capacité d'accueil :**
plus de 500 000 fidèles

**Page ci-contre :** Médine, ville où Mahomet se réfugia en 622, est le deuxième sanctuaire panislamique après La Mecque. C'est sa maison qui devint la première mosquée.

**Ci-contre :** le *mihrab* dans la mosquée du prophète. Le *mihrab* est une niche dans le mur de la mosquée qui donne l'orientation de la prière vers La Mecque.

**Les Ottomans.** Les Ottomans, qui régnèrent sur Médine de 1517 à la Première Guerre mondiale, laissèrent eux aussi leurs traces : le sultan Soliman le Magnifique (1520-1566) fit construire le minaret nord-est qui porte le nom d'al-Suleymaniya ; le sultan Abdulmecit Ier (1839-1861) fit entièrement réaménager le sanctuaire à l'exception de la tombe du prophète : il fut agrandi et doté d'un cinquième minaret à l'ouest, al-Majidiyya.

**L'Arabie saoudite.** Après la fondation du Royaume d'Arabie saoudite en 1932, d'autres agrandissements furent entrepris. Des hébergements supplémentaires furent construits à proximité de la mosquée pour accueillir les pèlerins toujours plus nombreux. Dans les années 1950, deux autres minarets et une bibliothèque furent ajoutés. Sous le règne de Fahd (1921-2005), la mosquée fut agrandie une dernière fois pour pouvoir recevoir les foules de pèlerins. La « modernisation » du complexe comportait un système de climatisation. La mosquée actuelle est 100 fois plus grande que la première mosquée de Mahomet.

**Ci-dessous :** le repas de rupture du jeûne (Ramadan) partagé par des milliers de musulmans devant la mosquée du Prophète.

Les indigènes de Nouvelle-Zélande et d'Océanie vivent, au même titre que les Aborigènes d'Australie, en harmonie avec la nature. Ils se perçoivent comme faisant partie intégrante du monde qui les entoure. Leurs plus grands sanctuaires sont donc des sites naturels, des montagnes ou des grottes par exemple. Les religions de ces peuples se différencient des religions occidentales : on ne croit pas à la succession linéaire des événements, mais aux cycles de la nature qui se répètent à l'infini.

# AUSTRALIE ET OCÉANIE

AUSTRALIE

# Uluru/Ayers Rock

DEPUIS DES MILLIERS D'ANNÉES, L'ULURU, LE CÉLÈBRE ROCHER ROUGE DU DÉSERT AUSTRALIEN, EST LE PLUS GRAND SANCTUAIRE DES ABORIGÈNES DE LA TRIBU DES ANANGU QUI VIVENT ICI DEPUIS PLUS DE 10 000 ANS.

Tjukurpa, ou « le temps de la Création » – c'est ainsi que les Anangu nomment l'origine de toute vie. Les ancêtres arrivèrent dans ce pays incarnés en hommes et en animaux. Certains, sous la forme de serpents immenses, avancèrent en ondulant et dessinèrent ainsi les paysages sur leur passage. Ce sont les ancêtres qui donnèrent aux hommes les lois qui sont toujours en vigueur chez les Anangu d'aujourd'hui. Les réponses à toutes les questions sur la création de l'univers et les lois de la nature, les relations entre les sexes, la vie, la mort et la vie après la mort figurent dans les mythes et les légendes du « temps du Rêve ».

Dans la langue anangu, *uluru* peut se traduire par « résidence des ancêtres ». Le long du monolithe se trouvent des lieux sacrés dont certains ne sont destinés qu'aux rites de passage à l'âge adulte des hommes, d'autres des jeunes femmes, d'autres encore aux cérémonies communes aux deux sexes. Chaque grotte au pied de l'Uluru possède une importance particulière et est liée à des rituels précis. Elles sont ornées de peintures dont certaines ont plus de 3 000 ans.

**Les sites sacrés des Anangu.** Suivant les lois spirituelles des Anangu, aucun homme n'a le droit de

**Page ci-contre et ci-contre :** les lieux sacrés des Aborigènes se trouvent au pied de l'Uluru et sont aujourd'hui de nouveau protégés.

gravir le monolithe en dehors du déroulement des cérémonies. Néanmoins, chaque jour, des centaines de touristes l'escaladent – et ils sont pas moins d'un demi-million chaque année. Les Aborigènes observent les Blancs et les surnomment les « fourmis » lorsque ces derniers grimpent, suspendus à un câble d'acier, en haut de l'Uluru. L'ascension de ce mont est particulièrement dangereuse, les températures élevées et les brusques changements de temps entraînent chaque année des morts et des blessés.

En 1873, l'ingénieur William Gosse, qui explorait alors le Territoire du Nord, fut le premier Blanc à gravir le monolithe. Il lui donna le nom du premier ministre de l'époque, Sir Henry Ayers. Cette découverte fit perdurer une manière d'agir qui prévalait en Australie depuis la découverte du continent : le mépris de la culture de ses premiers habitants. La situation a néanmoins changé depuis quelques années. Le territoire entourant l'Uluru a ainsi été restitué aux Anangu le 26 octobre 1985 et l'accès au parc national n'est plus autorisé pendant leurs rituels religieux. Il est également interdit de photographier certains sites sacrés indiqués clairement et qui, pour la plupart, se trouvent au pied de l'Uluru. Les photographes hors-la-loi encourent des amendes élevées. On souhaite ainsi maintenir le respect dû aux lieux sacrés des Aborigènes.

**EN BREF**

**Hauteur :** 348 m
**Périmètre :** 9,4 km
**Largeur :** 2,4 km
**Longueur :** 3,6 km
**Âge :**
600 millions d'années
Deuxième plus grand monolithe en arkose (variété de grès) – le plus grand est le mont Augustus dans l'ouest de l'Australie
**1987**
Inscription au patrimoine mondial de l'Unesco

**Ci-contre :** un Aborigène et les « fourmis » étrangères qui veulent absolument gravir l'Uluru. Ces touristes ne savent pour la plupart pas grand-chose de la culture des premiers habitants de l'Australie.

POLYNÉSIE FRANÇAISE

# Rurutu/Archipel des Australes

JAMES COOK DÉCOUVRIT EN 1769 L'ÎLE DE RURUTU, QUI PORTAIT ALORS ENCORE LE NOM DE ETEROA. LES HABITANTS DE L'ÎLE VIVAIENT DANS DES GROTTES, DES CAVERNES ET DES GALERIES SOUTERRAINES. ILS CÉLÉBRAIENT LEURS RITUELS SACRÉS SUR LES LÉGENDAIRES *MARAE*.

Aujourd'hui, les habitants de Rurutu ne vivent plus dans des grottes, mais ils restent très attachés à leurs traditions. L'île, avec ses très nombreuses grottes et cavernes et son haut plateau, est bordée de falaises plongeant à pic dans la mer. Depuis des temps immémoriaux, les insulaires pratiquent le lever de pierres, un tour de force visant à ériger des pierres pesant jusqu'à 150 kg à proximité des *marae*, les sanctuaires de l'île. Sur les *marae* de Pareopi et Vitaria, qui étaient encore utilisés il y a peu par la famille royale de Rurutu, ces piliers de pierre typiques se dressent vers le ciel. Pendant le rituel de Tere, qui a lieu en janvier, une grande procession traverse l'île pour rejoindre les *marae* sacrés et d'autres lieux mystiques, notamment la grotte de Hina, celle qui dévore les hommes dans la légende, et la grotte du Mo'o, le lézard géant. La fête s'achève par une compétition de lever de pierre à laquelle participent des athlètes hommes et femmes.

**Des lieux sacrés atypiques.** On trouve des *marae* sur toutes les îles de l'archipel océanien. Les plus célèbres sont les *ahus* de l'Île de Pâques. Par définition, les *marae* sont des sanctuaires atypiques car ils ne sont pas utilisés uniquement pour les rituels religieux : les cérémonies religieuses sont célébrées près de ces pierres sacrées, on y fait

**Page ci-contre :** le paysage tropical luxuriant d'une île de l'archipel des Australes.

des sacrifices et des offrandes aux dieux et on leur demande protection face aux différents éléments, mais on y rend aussi la justice, on y prend les décisions politiques et sociales. De nombreux *marae* étaient tabous, et seuls les prêtres avaient le droit d'y pénétrer car eux seuls pouvaient entrer en contact avec les forces surnaturelles. Les sacrifices humains n'étaient pas rares sur les grands *marae*. De nombreux *marae* étaient entourés de colonnes dépourvues d'ornements, mais aussi de *tiki*, des statues des dieux. Le *tiki* est toujours masculin, puissant, mystérieux et protecteur, ses bras et ses jambes sont pliés, sa tête légèrement penchée en arrière, sans cou. Les parties génitales faisaient l'objet d'une attention particulière. Les *tiki* protègent et écartent les dangers.

**Ci-dessous :** en 1769, soit 10 ans avant sa mort, l'explorateur anglais James Cook (*1728-1779) assista à un sacrifice humain sur un *marae* polynésien.

**Ci-dessus et en haut, à gauche :** les *tiki*, ou dieux protecteurs, sont toujours de sexe masculin, puissants, mystérieux et protecteurs. Leurs bras et leurs jambes sont pliés, leur tête penchée généralement en arrière et dépourvue de cou.

## EN BREF

**Situation :**
Rurutu se trouve à 572 km au sud-ouest de Tahiti et s'étend sur 32 km$^2$.

Lorsque James Cook découvrit l'île en 1769, elle comptait 3 000 habitants environ. La christianisation commencée en 1821, l'introduction de maladies, les guerres et l'exode ont réduit la population à 2 000 habitants.

L'île possède trois villages : Moerai, Avera et Hauti.

NOUVELLE-ZÉLANDE

# Tongariro, la montagne sacrée

POUR LES MAORIS QUI DÉBARQUÈRENT EN NOUVELLE-ZÉLANDE SUR D'IMMENSES CANOËS IL Y A ENVIRON 750 ANS, LE VOLCAN TONGARIRO ÉTAIT UNE MONTAGNE SACRÉE AU SOMMET DE LAQUELLE ILS DEVAIENT ALLUMER UN FEU POUR PRENDRE POSSESSION DU TERRITOIRE.

Il y a environ 750 ans, les Maoris débarquèrent de Polynésie orientale en plusieurs vagues d'immigration dans l'actuelle Nouvelle-Zélande à bord d'immenses canoës. Selon une légende de ce peuple « indigène » de Nouvelle-Zélande, le chef Ngatoroirangi mit pied à terre au milieu de l'île du Nord afin de prendre possession du territoire. Pour y parvenir, il devait cependant gravir le volcan Tongariro et allumer un grand feu au sommet. Il était accompagné de sa fidèle esclave, Auruhoe. Il faisait si froid sur le sommet enneigé qu'ils faillirent périr. Le chef demanda aux prêtresses du lieu mystique d'Hawaiki de lui venir en aide en lui envoyant le feu. Les prêtresses, qui étaient ses sœurs, accédèrent à sa requête et un feu s'alluma d'abord sur la côte, coula ensuite sous la mer et atteignit finalement les pieds du chef. Pour remercier le dieu du volcan, Ngatoroirangi sacrifia son esclave en la jetant dans le cratère. L'un des trois volcans du parc naturel porte d'ailleurs son nom : Ngauruhoe. Hawaiki est, dans les mythes maoris, le lieu d'origine des volcans, mais on ne sait toujours pas exactement s'il s'agit d'une île réelle ou d'un lieu mystique.

**Une sage décision.** À la fin du XVIIIe siècle, les premiers Pakeha, les Blancs, arrivèrent à Aotearoa, sur le ter-

**EN BREF**

Le parc national du Tongariro (depuis 1894) compte trois volcans : Tongariro, Ngauruhoe et Ruapehu.
La donation du Tongariro eut lieu le 23 septembre 1883.
**Altitude :** 500-2 797 m
**Superficie :** 795 km²
**1990** Inscription au patrimoine mondial de l'Unesco

**Page ci-contre :** l'eau du lac de cratère du volcan Ruapehu, l'un des trois sommets du massif du Tongariro, est transparente et irisée.

**Ci-dessus :** le volcan Ngauruhoe porte le nom de l'esclave du roi Ngatoroirangi, qui la sacrifia ici pour remercier les dieux de lui avoir donné le feu.

ritoire du « long nuage blanc ». À cause de l'élevage intensif de moutons, des coupes à blanc et des mauvais traitements envers les indigènes, la désertification commença à menacer la terre des Maoris autour de leur montagne sacrée. Le mont sacré du Tongariro est le lieu où les ancêtres des Maoris sont enterrés, leur présence et celle constante des dieux de ces cultes de la nature légitiment la prétention des Maoris à récupérer la montagne et les terres alentour : c'est ici que se trouvent certains de leurs lieux de culte les plus sacrés. La pression des Blancs ne pouvait cependant pas être stoppée ; ces derniers pénétrèrent de plus en plus dans les terres, prirent aux indigènes ce qui leur appartenait et profanèrent leurs sanctuaires. Pour éviter de perdre totalement ses terres, le chef de l'époque, Tukino Te Heuheu, prit une sage décision : en 1883, il offrit la montagne sacrée au gouvernement de Nouvelle-Zélande à la seule condition qu'elle soit protégée pour tous les hommes. De cette manière, le Tongariro est devenu le quatrième parc national du monde.

**À droite :** les fougères, les plantes les plus anciennes du monde, poussent partout dans les sous-bois denses du parc national du Tongariro.

© Corbis : Michele Falzone 6-7 ; Ron Chapple 8-9 (h) ; William Mannin 8 (bg) ; Richard Cummins 9 (b) ; Charles O'Rear 9 (bd) ; ML Sinibaldi 10 (h) ; Roland Gerth 11 (h) ; Michael S. Lewis 12 (h) ; Richard A. Cooke 13 (b) ; Charles O'Rear 16 (h) ; Alison Wright 17 (b) ; Larry Mulvehil 18 (h) ; Mark E. Gibson 19 (h) ; Richard Cummins 19 (b) ; Ron Chapple 20 (h) ; George H. H. Huey 21 (b) ; Buddy Mays 21 (h) ; © Radius Images/Corbis 22 (h) ; David Muench 23 (b) ; David Samuel Robbins 23 (h) ; Nik Wheeler 25 (h) ; Massimo Borchi 25 (b) ; Franz-Marc Frei 26 (h) ; Liz Hymans 27 (h) ; Adam Woolfitt 27 (b) ; Michael T. Sedam 28 (h) ; Anders Ryman 29 (b) ; William Mannin 30 (h), 31 (h, b) ; Wolfgang Kaehler 32 (h) ; Kelly-Mooney Photography 33 (h), 33 (bd) ; Wolfgang Kaehler 34 (b 2e) ; David Mercado 34 (c) ; Aldo Pavan 38 (h) ; Yann Arthus-Bertrand 40 (h) ; Henry Romero 41 (hg) ; Mark Karrass 41 (hd) ; Angelo Hornak 41 (b) ; Peter M. Wilson 44 (h) ; Eliana Aponte 45 (h) ; Yann Arthus-Bertrand 46 (h) ; Michael Freeman 51 (b) ; Hubert Stadler 52 (h) ; Wolfgang Kaehler 53 (h) ; David Mercado 53 (b) ; Stephane Frances 56 (h) ; Jose Patricio 57 (h, b) ; The Irish Image Collection 60 (h) ; Adam Woolfitt 61 (h, b) ; The Irish Image Collection 62 (h), 63 (bg, bd) ; Homer Sykes 67 (h) ; Tim Graham 68 (h) ; Angelo Hornak 69 (bg) ; Reuters 79 (h) ; Morton Beebe 82 (h) ; 83 (h) ; Adam Woolfitt 85 (h) ; Patrick Ward 85 (b) ; Gérard Rancinan 97 (b) ; Nik Wheeler 98 (h) ; Michael Busselle 100 (b) ; Jose Fuste Raga 101 (b) ; Charles Lenars 101 (h) ; Wolfgang Kaehler 112 (h) ; Gianni Dagli Orti 113 (h, bd) ; Paul A. Souders 114 (h) ; Jose Fuste Raga 120 (h) ; Paul Almasy 121 (h), 121 (bg, bd) ; Wolfgang Kaehler 124-125 (h) ; Samantha Lee/Ovoworks 124 (bg) ; Carmen Redondo 124 (b 2e) ; Yann Arthus-Bertrand 124 (c) ; corbis 125 (bg) ; Riccardo Spila 126 (h) ; Dave Bartruff 127 (h) ; Richard Hamilton Smith 127 (b) ; Carmen Redondo 128 (h), 129 (h, bd) ; corbis 129 (bg) ; Yann Arthus-Bertrand 132 (h) ; Frédéric Soltan 133 (bg) ; Jon Arnold (RF) 133 (bd) ; Roger Wood 134 (h) ; 135 (bg) ; 135 (bd) ; Sandro Vannini 136 (h) ; Guido Cozzi 137 (h) ; Wolfgang Kaehler 137 (b) ; Liz Gilbert 138 (h) ; Dave Bartruff 139 (h) ; corbis 139 (b) ; corbis 141 (h) ; Galen Rowell 143 (h) ; Peter Johnson 143 (b) ; Jerry Alexander 144-145 (h) ; Jon Arnold 144 (bg) ; Craig Lovell 144 (b 2e) ; Tibor Bognar 144 (c) ; Kazuyoshi Nomachi 145 (b) ; corbis 145 (bd) ; Christophe Boisvieux 150 (h) ; Charles Rennie 151 (b) ; Lowell Georgia 152 (h) ; 153 ; Julia Waterlow 154 (h) ; Jeremy Horner 155 (b) ; Craig Lovell 155 (h) ; Nevada Wier 156 (h) ; Galen Rowell 157 (h) ; David Samuel Robbins 157 (b) ; Robert Holmes 159 (h) ; Keren Su 162 (h) ; Angelo Hornak 163 (b) ; Luca Tettoni 163 (h) ; Richard Ashworth 164 (h) ; Frédéric Soltan 165 (b) ; David Cumming 165 (h) ; Tibor Bognar 168 (h) ; Munish Sharma 169 (h, b) ; Gavin Hellier 171 (hg) ; Bruno Levy 171 (hd) ; Gavin Hellier 172 (h) ; Richard Ross 173 (h, b) ; Yann Arthus-Bertrand 174 (h) ; corbis 175 (h) ; Stephanie Colasanti 175 (b) ; Bob Krist 177 (b) ; Tim Page 181 (h) ; Christophe Boisvieux 182 (h) ; Bruno Levy 183 (bg) ; Michele Falzone 186 (h) ; Dave Bartruff 187 (b) ; Claude Medale 187 (h) ; Darren Whiteside 188 (h) ; Jon Arnold 188 (b) ; Annie Griffiths Belt 189 (h) ; Paul A. Souders 189 (b) ; Massimo Borchi 190 (h) ; Shai Ginott 191 (h) ; Remi Benali 191 (b) ; Richard Ashworth 192 (h) ; Gianni Dagli Orti 193 (h) ; David Lees 193 (b) ; © Corbis 195 (b) ; Kazuyoshi Nomachi 197 (b) ; Kazuyoshi Nomachi 199 (h, b) ; Barry Lewis 200 (bg) ; Albrecht G. Schaefer 200 (b 2e) ; Paul Souders 200 (c) ; Catherine Karnow 201 (b) ; Bill Ross 201 (bd) ; Catherine Karnow 203 (bg) ; Paul A. Souders 203 (bd) ; Bill Ross 204 (h) ; Bruno Levy 205 (hg) ; Albrecht G. Schaefer 205 (hd) ; Paul Souders 207 (h) ; Barry Lewis 207 (b) ;

© Getty : Peter Adams 4 (b) ; Jill Gocher 5 (h) ; Doug Pensinger 8 (b 2e) ; Panoramic Images 8 (c) ; Justin Bailie 11 (b) ; Doug Pensinger 14 (h) ; Doug Pensinger 15 (h, d) ; Panoramic Images 24 (h) ; Richard Nowitz 33 (bg) ; Getty 34-35 (h) ; Michael Dunning 34 (bg) ; Emil von Maltitz 35 (b) ; Michael Langford 35 (bd) ; Vincenzo Lombardo 36 (h) ; Manuel Cohen 37 (h) ; Alfredo Estrella 37 (bg) ; Ricardo De Mattos 37 (bd) ; Richard A Cooke III 39 (b) ; Michael S. Lewis 42 (h) ; ML Harris 43 (b) ; DEA/G. Dagli Orti 43 (h) ; Wesley Boxce 45 (b) ; Chris Rennie 47 (h) ; Emil von Maltitz 47 (bg) ; Andrea Pistolesi 47 (bd) ; Getty 48 (h) ; James Sparshatt 49 (h) ; Karl Lehmann 49 (b) ; Panoramic Images 50 (h) ; Michael Langford 51 (h) ; Michael Dunning 54 (h) ; Gavin Hellier 55 (h) ; Michael Dunning 55 (b) ; Francisco Leong 58-59 (c) ; Peter Adams 64 (h) ; David Goddard/Kontributor 65 (b) ; 69 (bg) ; Gavin Hellier 83 (b) ; Yannick Le Gal 84 (h) ; Nicolas Asfouri 102 (h) ; Francisco Leong 103 (h, b) ; Greek 113 (b) ; Aris Messinis 117 (b) ; James (g) Stanfield 130 (h) ; Robert Harding 131 (h) ; Samantha Lee/Ovoworks 131 (b) ; Chris Bradley 140 (h) ; James P. Blair 141 (bg) ; Andrew Holt 141 (bd) ; Daryl Balfour 142 (h) ; Tsutomu Kawagoe 146 (h) ; Hulton Archive 147 (h) ; Karen Kasmauski 147 (bg) ; Thad Samuels Abell Ii 147 (bd) ; Sylvain Grandadam 148 (h) ; Steve Allen 149 (hg), (hd) ; Martin Gray 149 (b) ; Koichi Kamoshida 151 (h) ; Mark Downey 158 (h) ; Leelu 159 (b) ; Robert Nickelsberg 160 (h), 161 (b) ; Eric Meola 161 (h) ; Panoramic Images 166 (h), 167 (h) ; Eddie Gerald 167 (b) ; Jerry Alexander 170 (h) ; Khin Maung Win 171 (b) ; Eyes Wide Open 176 (h) ; Francoise De Mulder 177 (h) ; Hugh Sitton 178 (h) ; Alex Lay 179 (h) ; Cris Haigh 179 (bg) ; Hugh Sitton 179 (bd) ; Greg Elms 180 (h) ; Martin Gray 181 (b) ; Travel Ink 183 (h) ; Steve Allen 183 (bd) ; Philippe Bourseiller 184 (h) ; Travel Ink 185 (h) ; Jill Gocher 185 (b) ; Mark Harris 194 (h) ; AFP/Getty Images 195 (h) ; Khaled Desouki 196 (h) ; Roslan Rahman 197 (h) ; Muhannad Fala'ah 198 (h) ; Navaswan 200-201 (h) ; Navaswan 202 (h) ; Geoffrey Clifford 203 (h) ; Hulton Archive 205 (b) ; Natphotos 206 (h) ;

© Achim Bednorz : 58-59 (h, bg), 59 (bd) ; 66 (h) ; 67 (b) ; 69 (d) ; 70 (h) ; 71 (h) ; 71 (bd) ; 72 (h) ; 73 (hd) ; 73 (bg) ; 73 (bd) ; 74 (h) ; 75 (db) ; 78 (h) ; 79 (b) ; 80 ; 81 (h) ; 81 (bg) ; 81 (bd) ; 86 (h) ; 87 ; 87 Grafik ; 88 (h) ; 89 (bg) ; 89 (bd) ; 92 (h) ; 93 (h), 93 (b) ; 90 (h) ; 91 (h) ; 91 (b) ; 94 (h) ; 95 (h) ; 95 (bg) ; 95 (bd) ; 96 (h) ; 97 (h) ; 99 (b) ; 99 (hd) ; 99 (h) ; 104 (h) ; 105 (d) ; 105 (b) ; 106 (h) ; 107 (h) ; 107 (b) ; 108 (h) ; 109 (h) ; 109 (b) ; 110 (h) ; 111 (hg) ; 111 (c), 111 (b) ; 11 (d) ; 115, 116, 117 (hd) ; 118 (h) ; 119 (bg) ; 119 (bd) ; 122 (h) ; 123 (h) ; 123 (b) ; 125 (b) ;

© Giovanni Dagli-Orti : 135 (h) ;
© Rheinisches Bildarchiv : 74 (h).